안선희 프로필

시인, 소설가, 전 교사.
시집으로는 <둥지에 머무는 햇살>, <사랑에 기대다>,
<사랑이 스미다>, <생의 한가운데>와 단편소설집
<예쁜 거짓말>이 있고, 한국문인협회와 부천문인회,
부천문인협회의 문예지에 작품을 발표했다.
가곡악보집 <詩를 노래하다>를 출간했으며,
한국가곡작사가협회의 계간지에 노랫말을 다년간 싣고
여러 곡의 가곡을 작사하였다.

예쁜 거짓말

발　행 | 2024년 6월 18일
저　자 | 안선희
펴낸이 | 한건희
펴낸곳 | 주식회사 부크크
출판사등록 | 2014.07.15.(제2014-16호)
주　소 | 서울특별시 금천구 가산디지털1로 119 SK트윈타워 A동 305호
전　화 | 1670-8316
이메일 | info@bookk.co.kr

ISBN | 979-11-410-9019-7

www.bookk.co.kr

예쁜 거짓말

안선희 지음

CONTENT

태인에게 이 책을 바칩니다.

제1화 진의 오후

***

날이 밝았다. 사실 깨어있은 지는 서너 시간 되었다. 어둠 속에서 뒤척이다가 아침을 맞았다. 전화벨이 울리는 소리가 들렸다. 유진은 기지개를 켜면서 거실로 나갔다.

"여보세요."

"진이니? 너 오늘 무슨 일 있니?"

"엄마는 황금 같은 토요일 아침, 불쑥 전화해 놓고 무슨 일 있냐니. 엄마야말로 무슨 일이야?"

유진은 미간을 찌푸리며 벽시계를 힐끔 쳐다보았다. 일곱 시였다. 일부러 하품을 터뜨리면서 뭉개지는 발음으로 짜증을 냈다. 엄마가 무슨 말을 할지 알고 있었기 때문이었다. 엄마는 벌써 두 달째 주말 아침마다 전화를 걸어 맞선을 보라고 성화였다.

"용건 있으면 빨리 말해. 뜸 들이지 말고."

딸의 강경한 반응에 기가 눌린 듯 수화기 너머 살짝 긴장한 빛이 감돌았지만, 엄마는 이내 확고한 의지를 담아 말을 뱉어냈다.

"너 오늘은 절대 다른 약속 잡지 말고, 그, 일전에 말한 사람 있지? 배기준, 그 사람 좀 만나봐. 네가 이번에도 싫다고 하면⋯."

엄마의 말이 끝나기도 전에 유진은 재빨리 대답했다. 매도 빨리 맞는 게 낫다고 했다. 이런 식으로 더는 주말의 단잠을 빼앗길 수가 없었다. 한 번 만나고 차버리는 거다. 그리고 엄마 탓을 하면 된다. 다시는 맞선을 주선하지 못하도록 말이다.

"알았어. 약속 장소랑 시간은 내가 잡으면 되는 거지?"

일 초간 정적이 흘렀다. 그러더니, 격앙된 목소리가 들렸다.

"얘, 너, 진심이니? 웬일이니. 이렇게 순순히 엄마 말을 다 듣고. 에고, 내일은 해가 서쪽에서 뜨겠구나, 호호호."

엄마는 좋아서 죽겠다는 듯이 웃으며 전화를 끊었다. 그래, 계속 피할 수는 없어. 만나는 시늉만 하면 되는 거야. 유진은 지쳤다는 듯이 고개를 크게 젓고는 세면대를 향해 걸어갔다.

***

커피숍에 들어섰을 때 한눈에 배기준을 알아보았다. 마침 다른 테이블은 커플로 채워진 데다가 홀로 앉아 출입구 쪽에 신경을 곤두세우는 표정을 하는 게 영락없었다. 그의 맞은편 의자에 앉으며 유진은 명랑한 목소리로 말했다.

"기준 씨죠? 제가 좀 늦었네요."

"아, 유진 씨? 예상과는 좀 다르신데요, 어머니께 꽤 도도한 아가씨라고 들었는데 말이죠, 하하하."

유진은 첫 번째 대화에서 호탕하게 웃음을 터뜨리는 이 남자 뭐야, 살짝 기선을 빼앗긴 느낌이 들었다. 애초에 자신이 분위기를 주도해서 깨끗이 끝낼 심산이었는데 말이다.

"아직 식사 전이실 텐데, 커피보다는 점심부터 먹을까요?"

기준은 자리에서 일어섰고, 유진도 따라 일어났다. 마침 주문받으러 온 점원에게는 예의 바르게 나중에 다시 오겠노라고 말하는 것도 잊지 않았다. 뭔가 격식 있는 자유분방함이 느껴지는 호남이라는 게 기준의 첫인상이었다.

"저 앞에 골목길로 빠지면 제가 예전에 잘 가던 음식점이 나와요. 무겁지 않은 메뉴에 간단한 술과 안주도 있어요."

기준은 골목길로 접어들자, 몇 미터 앞에 나타난 '아모르'라는 레스토랑으로 유진을 이끌었다.

"배고프세요?"

"아뇨. 사실 늦은 아침을 먹었어요."

"점심을 먹기에는 이른 시간이죠? 여긴 양보다 질인 집이라서 배부를 정도는 아닐 거예요. 음, 간단하게 소시지와 맥주 어때요? 여기 흑맥주가 맛있어요."

유진은 고개를 가볍게 끄덕였다.

"흑맥주 좋아해요."

대답하고 나자, 정말로 시원한 맥주가 당긴다는 사실을 깨달았다. 초여름의 열기가 머리를 후끈하게 달구는 듯했다. 유진은 손으로 얼굴을 부채질하면서 소파 등받이에 몸을 젖혔다.

***

별 기대 없이 나간 자리였지만, 기준과의 만남은 소소한 행복감을 맛보게 해주었다. 레스토랑에서 나와 강변을 거닐면서 나눈 대화도 즐거웠다. 애초에 잘 보이려는 의식적인 노력이 없었기에, 유진은 기준에게 자기의 민낯을 내밀었다. 두 사람은 초등학교 동창처럼 스스럼없이 웃고 떠들다가, 밤 열 시가 되어서야 헤어졌다. 현관문에 들어서며 거실 등불을 켰을 때 전화벨이 울렸다.

"이제야 받는구나? 둘이 여태 같이 있었던 거야?"

속사포처럼 쏟아지는 엄마의 질문에 유진의 입가에 커다랗게 미소가 떠올랐다.

"당연히 둘이 있다가 헤어졌지."

"사람 괜찮지? 무엇 하나 꿇리는 데가 없는 사람이더라. 엄마가 그 집안을 오랫동안 알아 왔는데, 무엇 하나 흠잡을 데가 없어. 너랑도 잘 맞는다니, 아휴, 잘 됐다. 이제부터는 너한테 달렸어. 엄마는 참견하지 않을 테니까. 알았지?"

"응, 엄마, 내가 알아서 할게. 얼른 자."

"그래, 피곤하겠다. 너도 얼른 자. 호호호."

엄마는 기분 좋은 듯 한참을 웃더니 전화를 끊었다.

유진은 옷을 갈아입고 씻고 난 다음 휴대전화 액정을 눈여겨봤다. 새로운 메시지가 하나도 없었다. 기준에게 즐거웠다는 문자라도 남길까 하다가 그만두고 불을 껐다.

다음날은 일요일이었다. 유진은 성당에 갈까 말까 망설였다. 벌써 한 달째 이런저런 핑계로 미사에 빠졌다. 어릴 적부터 교회에 다녔던 유진은 대학 시절 선교단체에 몸담았을 정도로 신앙에 푹 빠져 살았다. 그러다가 서른 살 여행지에서 천주교 미사에 참여했고, 그 거룩한 분위기에 압도된 유진은 교회를 떠나 성당에서 다시 세례를 받았다. 하지만, 성당의 거룩한 분위기가 열정을 북돋워 주진 못했다. 신앙심은 미약하게나마 남아있지만, 성당으로 향하는 발길은 뜸해졌다.

기준은 저녁 네 시가 되어서야 문자를 했다.

- 뭐 해요? 잠깐 볼까요?

유진이 '네, 어디서요?'라고 답장을 쓰고 있는데, 기준의 다음 문자가 먼저 도착했다.

- 그쪽으로 갈게요. 지금.

어젯밤 기준은 택시로 유진을 집 앞까지 바래다주고, 자기 집으로 갔었다. 유진은 '기다릴게요.'라고 답장을 보내고는, 화장대로 가서 옅게 화장하기 시작했다.

***

그로부터 이십 분 뒤에 기준이 도착했다. 정확히 말하자면 기준의 문자가 도착했다.

- 나와요. 집 앞.

유진은 기준의 문자를 보는 순간, 깊이 잠들었던 연애 세포가 부스스 깨어나는 쾌감을 느꼈다. 콧노래가 절로 나와 흥얼거리며 날 듯이 가뿐하게 계단을 내려갔다. 현관 앞에 기준이 서 있었다.

"기준 씨. 어제 잘 들어갔어요? 덕분에 저는….."

유진은 말을 잇지 못했다. 힐끗 바라본 기준의 표정이 무섭게 굳어 있었기 때문이다. 기준은 유진을 안심시키려는 듯이 짧게 미소 짓더니 앞장서서 걸었다.

"요 앞에 산책로가 있던데, 그리로 걸을까요?"

"아, 근린공원이 있어요. 이 길을 따라 올라가면 나와요."

유진은 종종걸음으로 기준의 옆으로 다가가 나란히 걸었다. 또다시 심장이 빨리 뛰기 시작했다.

"기준 씨도 천주교라고 들었는데요. 세례명이 뭐예요?"

"아, 유진 씨도 성당 다니시는구나!"

"오늘 주일인데 미사는 참석하셨어요?"

"네, 열한 시 교중 미사에. 유진 씨는 세례명이 뭐예요?"

"마리아예요. 기준 씨는요?"

기준의 입술에 묘한 미소가 떠오르더니 이내 가라앉았다.

"마리아, 성모님이시네요. 저는 요셉, 생일이 성 요셉 축일이거든요."

유진은 속으로 쾌재를 불렀다. 이런 인연이 또 있을까. 성가정을 이루라는 신의 계시가 아닐까. 만난 지 고작 하루

지났지만, 기준에게는 좋은 배우자의 느낌이 있었다. 다시 바라본 기준의 옆얼굴은 마리아의 임신을 알고도 묵묵히 곁에 있어 준 요셉 성인처럼 듬직했다. 유진은 평소의 자기답지 않게 어린애처럼 들뜨는 마음을 주체할 수 없어, 한 손으로 지긋이 심장을 눌렀다. 기준은 그만큼 남다른 매력의 소유자였다.

기준이 길 건너 카페를 왼손 검지로 가리키며 물었다. 하얀 벽에는 '허미아(Hermia)'라고 새겨져 있었다.

"저 카페 가봤어요? 허미아."

"이 동네 살면서 저기 카페가 있는 줄도 몰랐네요. 퇴근하면 한밤중이라, 낮에는 주로 직장 근처의 카페만 이용하니까요. 허미아? 처음 봐요."

"한 번 가볼까요?"

"네, 좋아요."

마침 횡단보도의 신호등이 초록색으로 바뀌자, 둘은 나란히 건너갔다. '허미아'는 잔잔한 음악이 흐르는 작고 아늑한 공간이었다. 기준이 카페에 들어서자, 혼자 원두를 갈던 삼십 대의 여사장이 방긋 웃으며 기준에게 아는 체를 했다.

'어, 기준 씨한테 인사를? 처음 오는 곳이 아닌가 보네.'

유진은 어리둥절했다. 동네 주민인 자기보다 이곳을 더 잘 아는 기준이 신기하기도 했다. 기준은 유진에게 자리를 권하더니, 카페 사장을 향해 말했다.

"이리로 와요."

여사장은 빈 커피잔을 허공에 들어 보이며 물었다.

"커피 괜찮으세요? 차 가지고 갈게요."

"유진 씨, 커피 괜찮죠? 그래요, 세잔 가지고 와요."

유진은 머쓱한 표정으로 기준을 바라보면서, 뭔가 흥미진진한 일이 벌어질 것만 같은 예감을 느꼈다.

'이 두 사람, 뭔가 있어. 기준 씨가 나한테 뭔가를 고백하려는 참이야. 그게 뭘까? 전혀 예상하지 못했던 상황인걸.'

사장은 쟁반을 테이블에 내려놓더니, 망설임 없이 기준의 옆자리에 앉았다. 유진은 고개를 들어 그녀의 얼굴을 쳐다봤다. 아니, 이럴 수가! 그녀의 한쪽 눈동자가 없었다. 유진은 당황한 빛을 숨기지 못하고 짧은 탄식을 뱉어내었다. 사장은 유진의 눈길을 피하지 않으며 입을 열었다.

"저는 허 미아라고 합니다. 카페 상호와 같지요?"

유진은 미아를 빤히 쳐다보던 눈길을 재빨리 거두고 커피잔을 두 손으로 꽉 붙잡았다.

"저는 진 유진이예요. 기준 씨와는 어떤⋯?"

"유진 씨, 미아는 나와 대학 동창이에요."

유진은 이 대답에 자신이 곤란한 처지를 모면한 것 같아 안도의 한숨을 내쉬었다.

'동창이라면 나이도 동갑이겠네. 우리 동네를 방문한 김에 동창이 운영하는 카페에 데려와서 나를 소개하려는 거야!'

하지만, 기준의 다음 말은 유진의 귀를 의심케 했다.

"유진 씨, 이제부터 내가 하는 말을 끝까지 들어준다고 약속해 줘요."

유진은 기준의 눈에서 간절하고 진실한 염원을 읽고 침을 꿀꺽 삼켰다. 시간을 조금이라도 벌어보려는 듯 대답 대신 커피를 한 모금 마셨다. 커피잔을 내려놓고 고개를 들었을 때, 기준과 미아는 재촉하는 기색도 없이 잠잠히 유진을 바라보았다.

"뭔가 끝까지 듣기 힘든 황당한 얘기인가 보네요. 제가 굳이 그런 말을 들을 필요가 있을까요? 하지만, 좋아요. 전 호기심이 강한 사람이니까요. 무슨 사연인지 궁금하네요. 말씀하세요. 끝까지 들어보지요."

유진은 당차게 말했지만, 커피잔을 잡은 오른손이 심하게 떨려왔다. 왼손으로 떨리는 오른손을 잡으며 두 손으로 커피잔을 들어 한 모금 더 마셨다. 향긋한 커피 향이 코를 적시며 마음을 진정시켜 주었다.

"커피 맛이 참 좋네요. 자, 이제 무슨 얘기인지 들어볼까요?"

기준은 애처로운 눈길로 미아를 지긋이 보더니 다시 유진에게 시선을 돌렸다.

"미아와 나는 대학 시절부터 줄곧 사랑한 사이예요. 유진씨 세례명이 마리아라고 했지요? 미아는 베로니카예요. 우리는 한 성당에서 미사도 같이 보고 세례도 같은 날 받았지요. 대학 시절 내내 같이 공부하고 일상과 신앙을 공유하는 더없이 좋은 친구였어요.

우리가 사귀는 걸 양가 부모님도 아셨고, 두 집 모두 결혼까지 무난하게 하리라고 믿고 응원해 주셨어요. 그런 암묵적인 약속이 깨어진 건, 미아가 불의의 사고를 당한 직후였어요."

여기까지 말을 마친 기준의 얼굴에 고통스러운 표정이 스쳤다. 잠시 후 그의 말이 다시 이어졌다.

"미아는 연기를 전공해서 대학로에서 뮤지컬도 하고 제

법 잘 나가는 연기자였기에 팬도 많았어요. 학창 시절부터 연극 동아리에서 활동하면서 인기가 높았지요. 그런데…, 한 친구가 미아에게 집착하기 시작했어요. 우리가 공개적인 학교 커플이었는데도 포기하지 않았고, 미아의 집에까지 무단 침입하는 사태가 벌어졌어요. 경찰이 조사한 결과, 정신과 치료 전력이 있는 사람이었기에 분리가 필요했는데, 당시에는 그렇게 안 했어요. 그는 미아와 결혼하라는 신의 계시를 받았다는 둥 정신 나간 소리를 하면서 미아를 납치하려고 몇 번이나 시도했어요. 하지만, 경찰은 명백한 증거가 없으면 구속할 수 없다는 말만 되풀이할 뿐 번번이 도움을 주지 않았어요. 미아가 한쪽 눈과 한쪽 다리를 잃게 되기까지.“

유진은 입을 떡 벌리고 미아를 쳐다보았다.

"어쩜, 눈과 다리까지!"

"그래요. 보시다시피 저는 한쪽 눈이 없어요. 제 한쪽 다리는 의족이랍니다.“

미아는 유진을 똑바로 바라보며 말했다. 남은 한쪽 눈이 물기를 머금고 보석처럼 반짝거렸다.

'허미아'를 나온 유진은 혼자 터벅터벅 집으로 돌아오다가 근린공원 쪽으로 올라갔다. 공원 옆에 유진이 다니는 성당이 있었다. 미사가 끝난 뒤라 성당 안은 텅 비어 있었다. 유진은 항상 앉는 구석 자리에 몸을 움츠리고 앉아 고개를 숙였다.

'오, 주님, 제가 하려는 행동을 판단하지 마시고, 가엾은

저 두 사람을 도와주소서!'

***

그로부터 여섯 달 후 유진은 '허미아'의 테이블에서 사장인 미아와 나란히 앉아있었다. 두 사람은 즐거운 표정으로 한동안 담소를 나눴다. 갑자기 미아가 정색하더니, 긴장한 표정으로 말을 꺼냈다.

"유진 씨, 이 카페 운영해 볼 생각 있어요?"

"언니, 한국을 떠나기 전에 카페를 정리하는군요? 사실…, 직장을 뛰쳐나오고 싶어 미칠 지경이긴 하지만, 이렇게 멋진 카페를 인수하기엔 자금이 부족해요. 대기업도 아니고 개인회사에 다니다 보니, 모아놓은 돈이 별로 없어요."

미아는 골똘히 생각하더니, 유진의 손을 잡았다.

"유진 씨는 우리한테 돈으로 매길 수 없는 엄청난 기적을 가져다주었어요. 유진 씨가 카페를 운영해 준다면, 떠나는 내 맘이 너무 편할 것 같아요."

"언니, 그런 소리 하지 말아요! 내가 뭐 대단한 일을 했다고 그래요!"

펄쩍 뛰는 유진을 미아는 귀엽다는 듯이 바라보았다. 그때 기준이 카페 문을 열고 들어왔다.

"둘이 무슨 얘길 하고 계시나. 깨가 쏟아지나 본데?"

"응, 기준 씨, 방금 유진 씨한테 카페를 인수해 달라고 부탁했어."

유진은 재빨리 손사래를 치며 부인했다.

"아니에요. 제가 그럴 자격이 어딨다고!"

기준은 미아의 옆에 앉더니, 목소리를 낮춰 간청했다.

"유진 씨, 제발 우리의 마지막 소원을 들어주세요. 우리가 떠난 뒤 유진 씨 혼자 받을 비난을 생각하면, 가슴이 저려요. 미아는 카페를 정리하기보다는 유진 씨가 운영해 주면 좋겠다고 여러 번 말했어요. 나도 같은 생각이고요. 유진 씨는 이 세상에서 유일하게 우리를 이해하고 지지해 준 사람이에요. 이렇게라도 유진 씨에게 진 빚을 갚아주고 싶어요."

기준의 깊은 눈가가 촉촉하게 젖어 들었다. 유진이 미아를 보았을 때 그녀의 뺨을 타고 눈물이 흐르고 있었다. 유진은 그들에게 줄 수 있는 유일한 대답이 무엇인지 깨달았다. 숨을 들이마신 그녀는 망설임 없이 대답했다.

"좋아요. 제가 카페를 지킬게요. 언젠가 두 분이 다시 돌아와 이곳을 찾을 때까지 여기서 기다릴게요."

미아는 환호성을 지르며 유진을 얼싸안았다. 유진은 뛸 듯이 기뻐하는 두 사람을 번갈아 보면서, 덩달아 입을 벌려 웃었다.

*　*　*

거실에서 전화벨 소리가 울렸다. 유진은 젖은 머리를 수건으로 두르고 나와 수화기를 귀에 갖다 댔다. 엄마였다.

"오후 다섯 시 비행기지? 여권이랑 신분증이랑 빠뜨린 게 있는지 다시 살펴보고, 늦지 않게 공항에 나가."

"걱정하지 마. 다 챙겨놨으니까."

"기준이랑 유럽 여행 잘하고 와. 싸우지 말고. 애들도

참. 결혼식 올리고 신혼여행 가면 좋을 걸 왜 굳이 여행부터 한다고 그러는 거야? 엄마는 도통 이해가 안 간다.“

"엄마, 그 얘긴 끝났잖아. 기준 씨 회사 일정 때문에 신혼여행 날짜 잡기가 어렵다니까. 나 이제 나가야 하니까, 전화 끊어, 엄마.“

"응, 그래, 잘 다녀와. 가서 도착했다고 연락하고.“

전화기를 내려놓은 유진은 결연하게 입술을 깨물었다.

공항에는 기준과 미아가 먼저 도착해 있었다. 두 사람의 표정은 불과 반년 전 유진과 처음 만났던 날의 침울함을 벗고, 하늘을 날아갈 듯한 희망으로 부풀어 올랐다. 입가에 미소가 떠나지 않았다. 유진은 기준에게 물었다.

"유럽 여행 끝나면 어디에 정착할 예정인가요?“

"우리도 이렇게 멀리는 처음 떠나보는 거예요. 미아가 흉터를 없애는 수술을 여러 번 해서 여행은 꿈도 꾸지 못했지요. 이곳저곳 다니면서 마음 가는 곳이 생기면 그곳에 정착하려고요.“

기준은 미아를 사랑스럽게 바라보았다. 미아도 기준을 미소 지으며 쳐다보더니, 유진에게 다가와 두 손을 꼭 쥐었다.

"유진 씨, 잊지 않을게요.“

유진은 빙그레 웃으며 미아에게 말했다.

"행복하게 사세요. 영원히 사랑하면서.“

기준이 망설임 없이 대답했다.

"물론이죠. 제가 책임지고 약속할게요. 유진 씨야말로 어머니 실망이 크실 텐데, 괜찮겠어요?“

"여기 일은 잊고, 두 분은 미래만 생각하세요. 어서 가세요."

유진은 잡았던 손을 놓아주었다. 기준은 가슴이 벅차오르는 듯 말없이 고개 숙여 인사하더니, 미아의 손을 잡고 출국장으로 들어갔다.

기준과 미아가 한국을 떠난 날, 유진은 다니던 직장에 사표를 내고 '허미아'로 돌아왔다. 이제부터는 여기가 유진의 직장이다. 기준과 미아가 간곡하게 부탁하기도 했지만, 회사 생활에 지쳐 카페를 차릴까, 고민하던 시점이기도 했다.

여대생 두 명이 카페로 들어서며 커피를 주문했다.

"어머, 사장님이 바뀌신 거예요? 아니면 동생분이신가요?"

"네, 동생이에요. 언니가 신혼여행을 떠났거든요."

"어머, 축하드려요! 사장님 좋으시겠다!"

유진은 방긋 웃으며 서둘러 커피를 내리기 시작했다. 모든 게 한여름 밤의 꿈 같다고 생각하면서.

제2화 예쁜 거짓말

***

"더는 이렇게 못 살겠어!"

홍미련은 캔 맥주 두 개를 소파 탁자에 내려놓으면서 신경질적으로 소리쳤다. 버릇처럼 냉장고에 캔 맥주 몇 개를 넣어놨지만, 남편 나대로를 위해 사놓았을 뿐, 미련은 오랫동안 술을 입에 대지 않았다. 그 까닭은 사소했다. 술을 한 모금만 마셔도 얼굴이 빨개지는 체질이기 때문이었다. 하지만, 오늘은 평소와 다른 날이었다. 열불 나는 속을 달랠 요량으로, 시원한 맥주라도 들이킬 심사였다. 벽시계를 힐끗 바라봤더니, 열 시가 막 지나고 있었다.

캔 맥주 뚜껑이 툭 소리를 내며 열리자, 미련은 벌컥벌컥 술을 들이켰다. 시원한 알코올이 목구멍을 타고 넘어가면서, 답답했던 속이 뻥 뚫렸다. 이 맛에 술을 찾는구나 싶었다. 하지만, 그 느낌은 삽시간에 사라졌다. 대로의 얼굴이 떠오른 순간, 또다시 뜨거운 무언가가 부글부글 끓어올랐다. 미련은 서둘러 남은 맥주를 입안에 털어 넣었다.

"흥, 나대로 이 인간아, 아침에 내가 그렇게까지 삐진 티를 냈는데도, 여태껏 전화 한 통 없단 말이냐? 어디 들어오기만 해. 오늘은 두 배로 갚아줄 테니까. 오늘 밤은 잠 한숨 잘 수 없을걸. 두고 보라지!"

미련은 주정쟁이처럼 혀가 꼬이는 자기 발음이 몹시 마음에 들었다. 그래서 계속 주사를 늘어놓으면서, 기어이 두 번째 캔을 땄다. 맥주를 막 입에 대려는데, 여섯 살 난 외동딸이 방에서 나왔다. 엄지는 얼굴을 찌푸리면서 미련을 쳐다보았다.

"엄마, 배가 고파서 잠을 잘 수가 없어."

"뭐? 너 저녁 먹고 잤잖아. 그래도 배가 고프다고? 우리 딸이 키가 크려고 그러나? 잠깐 기다려. 엄마가 밥 가져올게."

미련은 벌떡 일어서다가 술기운에 휘청거렸지만, 이내 중심을 잡고 조심스럽게 부엌으로 향했다. 찬밥에 정수기의 온수를 부어서 쟁반에 올려놓았다. 반찬으로는 묵은지와 생선구이를 꺼냈다. 김치를 잘게 찢어서 생선 살과 함께 먹였더니, 엄지는 맛있다는 표시로 머리를 까딱거리면서, 물 말은 밥 한 공기를 뚝딱 해치웠다. 금세 배가 볼록 튀어나온 엄지는, 졸린 눈을 비비면서 미련의 옆구리에 기대어 잠을 청했다.

　그때 전화벨이 울렸다. 수화기를 귀에 대면서 얼핏 벽시계를 봤는데, 열 시 사십 분이었다.
　"여보세요."
　미련은 자기의 목소리가 여느 때와 다르다는 걸 느꼈다. 혀가 꼬여 발음이 수상쩍다는 걸 상대방이 눈치채지 않도록, 전화기 든 손에 힘을 주고 정신을 가다듬었다.
　"제수씨, 접니다. 밤늦게 죄송한데, 여기 일산백병원 응급실로 빨리 와주시겠어요? 대로가 교통사고를 당했는데, 상처가 좀 크게 났어요. 저기, 오실 때 엄지도 꼭 데려오세요."
　전화를 끊고, 미련은 거울을 들여다봤다. 홍시처럼 익어버린 얼굴과 목덜미는, 누가 봐도 방금 술독에서 탈출한 몰골이었다. 미련은 술기운이 떨어지기를 기다리느라, 자정이 넘어서야 집에서 나왔다.

***

　열대야가 기승을 부리는 한여름 밤이었다. 흰색 아마포 원피스를 입은 미련이, 택시에서 내리자마자 칭얼거리는 엄지의 손을 붙잡고 응급실 문을 열었다.
　"제수씨, 여기예요, 이쪽으로 오세요!"
　미련이 고개를 돌려보니, 시아주버니가 대로의 친구들과 함께 있었다. 그들 가운데 한 명은 대로와 동업하는 희웅이었고, 다른 이들은 신혼집 집들이할 때 손님으로 봤을 뿐 평소 왕래가 없었다. 미련은 지금 상황이 어찌 돌아가는지 이해하지 못했다. 대로의 교통사고를 시아주버니의 전화로 알게 된 정황도 기이했고, 이 야심한 밤에 왜 친구들이 병원에 와 있느냐 말이다.

멀뚱거리며 서 있는데, 희웅이 미련의 등을 살짝 떠밀면서, "가서, 인사하세요."라고 말했다. 대로가 누운 간이침대는 복도 벽에 쓸쓸히 세워져 있었다. 미련이 손을 잡았으나, 대로는 깊이 잠들었는지 눈을 뜨지 않았다. 그의 손에는 온기가 남아있었다. 미련은 아침에 작정하고 남편에게 싸움을 걸었던 기억을 끄집어냈다.

결혼하고 얼마 있다가 대로는 희웅과 함께 사업이라는 걸 벌였다. 사업 자금은 시아버지의 퇴직금이었고, 수완이 좋았던지 그럭저럭 돈을 벌었다. 그러나, 하루도 정상적인 퇴근을 안 하고, 새벽녘에야 귀가하는 대로에게 불만이 쌓여갔다. 일요일도 쉬지 않아, 엄지가 여섯 살이 되도록 그흔한 놀이공원도 함께 가 준 적이 없었다. 그동안 줄곧 참고 살았던 미련은, 어제 아침에서야 대로를 붙잡고 울분을 터트렸다. 요즘 남편들은 집에서 요리도 하고 설거지도 해준다는데, 그딴 건 바라지도 않는다. 그저 주말만이라도 평범한 가족의 일상을 누리고는 살아야 하지 않겠느냐. 미련은 말하다가 자기도 모르게 언성을 높였고, 한 번도 다정하지 않았던 남편을 향한 울분을 토해냈다. 차곡차곡 쌓아뒀던 아내의 푸념에, 대로가 보인 반응은 무성의의 극치였다.

"나도 할 만큼은 했어."

뭐라고? 고작 한다는 소리가, 할 만큼은 했다고? 뭘? 우리 가정을 위해서 남편으로서, 아빠로서, 도대체 뭘 했는데? 어떻게 반성 한 톨 없이, 그렇게 당당할 수가 있지? 미련은 상대할 가치도 없는 인간이라고 생각하며 아침밥을 먹는 남편을 놔두고 방으로 들어가 버렸다. 대로는 아침밥을 먹는 둥 마는 둥 하고, 처음으로 설거지라는 걸 해봤다. 그리고는, 아내가 누운 방문을 빼꼼 열고 몇 초간 서 있었다. 미련은 등 뒤에서 남편이 망설이는 기색을 읽었다. 분명히 화해의 제스처가 전해졌지만, 애써 모르는 척 외면했다. 오늘이 아니라면, 언제 또 가정의 분위기를 쇄신할 수 있겠는가. 쇠뿔도 단김에 빼랬다고, 맘먹은 김에 남편의 사고방식을 송두리째 뜯어고치고 싶었다. 그렇게 팽팽한 긴장감으로 맞서던 부부의 균형이 허물어진 것은, 두 시간이나 흘러서였다. 집안 여기저기를 서성이던 대로는, 열한 시가 되자, 급하게 현관문을 나섰다. 미련은 좌절했고, 온종일 불행에 빠져 허우적거렸다. 그로 인해 못 먹는 술을 억지로 퍼마시면서, 아침에 남편이 했던 말을 수백 번이나 곱씹었다.

"할 만큼 했다, 할 만큼 했다, 할 만큼 했다, 뭐라고? 할 만큼 했다고?"

이 말은 다시금 미련의 머리끝까지 화를 돋우었다. 그러다가 얼마 있다가는 저 혼자 사그라들었다. 또 한편으로는, 혹시나 출근한 남편이 뒤늦게 후회하고 사과할지도 모른다는 기대감이 온몸을 달뜨게 했다. 애타는 하루를 보냈지만,

회사에 간 남편은 깜깜무소식이었다. 그렇게 밤이 깊었고, 다음날 자정 넘어서야 남편과 상봉했다. 그것도 병원 응급실에서.

밖에서 새삼스럽게 뜯어본 남편의 얼굴은, 피로에 찌들어 초췌했다. 하긴 올해 마흔한 살이니, 청춘은 다 가버린 나이였다. 주부인 미련이 보약이라도 한 첩 지어 먹여야 했는데, 그럴 맘이 털끝만치도 없었다. 남편을 향한 서운함이 부풀어 올라서, 도저히 애틋한 행동이 나오지 않았다. 사업에 열중하느라 가정에 소홀한 남편이 미워서, 하루 한 끼 집에서 먹는 아침상도 대충 차려주었다. 남편이 밖에서 좋은 음식을 사 먹을 거라고, 막연하게 자기를 변호하면서 말이다. 응급실 간이침대에 누운 남편의 머리카락은, 어느새 새치가 반 이상 덮여 있었다.

'쯧쯧, 이 정도일 줄 알았더라면, 염색약이라도 사다 발라줄걸.'

부부가 시선을 마주친 게 언제였던가. 바쁘게 산 세월이 야속해서, 대로의 뺨을 어루만지려다가 그만두었다. 몇 시간 전까지만 해도 미련의 마음에 이글거렸던 분노의 불길이 풀썩 꺼지면서, 난데없이 측은지심이 발동했다. 미련은 대로의 배에 포개진 두 손에 자기 손을 얹고, 나지막이 속삭였다.

"여보, 아침에 화내서 미안해. 푹 자고 빨리 나아."

에어컨을 틀어놨지만, 대로의 손등은 따스한 온기를 간직했다. 미련은 남편의 손에 남은 온기를 느끼며, 한동안 지그시 얼굴을 들여다보았다.

두어 걸음 뒤에 섰던 희웅이 미련을 불렀다.

"잠깐 이리로 와 보세요."

미련이 돌아봤을 때, 시아주버니와 희웅이 잽싸게 다가와서, 미련의 팔과 어깨를 옴짝달싹하지 못하게 잡았다. 평소 예의가 깍듯했던 두 남자가 완력으로 제압하자, 미련은 충격에 휩싸였다. 하지만, 다음 순간 눈앞에 벌어진 일은 더욱 어리둥절했다. 여자 간호사가 와서 대로의 얼굴을 홑이불로 덮더니, 남자 간호사가 대로의 침대를 끌고 재빠르게 사라졌다. 그들의 동작은 무척 빨랐고, 한없이 무례했다. 간호사들은 그 어떤 설명도 하지 않았고, 미련에게 눈길 한 번 주지 않은 채, 거칠고 재빠르게 행동했다.

"이봐요. 뭐 하세요? 여보세요, 지금 뭐 하시는 거예요!"

미련이 허공에 팔을 휘저으면서 비명을 질렀는데도, 그들은 철저하게 외면했다. 시아주버니와 희웅은, 미련이 간호사를 방해하지 못하도록 꽉 붙잡았다. 대로의 침대가 시야에서 사라지고 나서야, 미련은 그들의 손아귀에서 풀려났다. 미련은 대로의 침대가 놓였던 자리에 주저앉아 꺼이꺼이 울었다. 미련의 하얀 원피스 자락이 피로 물들어 있다는 걸 그제야 깨달았다. 비로소 눈앞에서 벌어진 상황이 이해됐다. 교통사고로 숨진 대로의 몸은, 작별 인사를 하러 온 가족을 기다렸다가, 이제 막 인사를 끝내고 영안실로 내려간 거였다. 그 짧은 인사를 하는 동안에도, 대로의 피가 미련의 치맛자락을 적셨다. 시아주버니가 목쉰 소리로 단호하게 말했다.

"제수씨, 이제 엄지를 데리고 집으로 가세요."

엄지? 그렇지. 엄지가 같이 왔었지! 미련은 젖은 눈으로 딸을 찾아 두리번거렸다. 엄지는 저만치 뒤에 서서 엄마를 따라 울고 있었다. 대로의 친구들은 그런 엄지의 손을 잡고, 말없이 참담한 표정을 짓고 있었다. 미련은 벌떡 일어나서 성큼성큼 딸에게 다가갔다.

"괜찮아, 흐흐흑. 엄지야, 괜찮아!"

목이 메어서 더는 말을 잇지 못했다. 미련은 엄지를 등에 업고, 응급실 밖으로 나왔다.

***

미련은 깊이 잠들어 축 늘어진 엄지를 업고 집으로 돌아왔다. 밤새도록 침대 머리에 기대어, 눈물이 마를 때까지 울고 또 울었다. 나중에는 진이 빠져서, 멍한 눈길로 허공만 쳐다보았다.

운전자는 스물한 살의 여성 프로 골퍼로, 판사는 그녀가 어리다는 이유로 공탁금만 받고 즉시 귀가시켰다. 그녀는 싼타페를 몰고 가로등도 없는 장항동 논길을 달리다가, 길에 서 있던 대로를 들이받았다. 장항동 농가에는 대로의 대리점에서 파는 자동차 부품 창고가 있었다. 대로의 회사는 동대문에 있었지만, 주기적으로 장항동 창고에 가서 재고를 파악했다. 운전자의 진술은 이랬다. 캄캄한 어둠 속을 달리는데, 갑자기 대로가 차 오른쪽에서 뛰어들어 머리를 박았다고 했다. 어이없게도, 이 진술이 받아들여졌다. 그야말로 손쓸 여지가 없는 자의적인 객사였다. 대로의 죽음은 자살

행위로 판결 났다. 지난 몇 년 동안 휴일도 없이 의욕적으로 일했던 대로가, 왜 자살로 생을 마감한단 말인가. 미련은 이 판결이 타당성을 잃은, 불공평한 처사라고 확신했다.

　시아주버니는 동생의 죽음이 자살로 귀결되자, 운전자의 석방을 규탄하는 호소문을 청와대에 제출했다. 미련에게 전화해서 조심스럽게 이것저것 캐물었지만, 딱히 해줄 말이 없었다. 미련은 자기가 '남편이 사는 세상'에 대해 아는 바가 거의 없다는 사실을 깨달았다. 사업에 매진한다는 이유로, 대로는 항상 새벽녘에 퇴근했다. 미련은 아이를 키우며 살림을 도맡는 게 내조라고 믿었기에, 남편의 사업에는 관심을 두지 않았다. 사업 초기에는 영업부장 희웅이 유일한 직원이었는데, 삼 년 전에 미스 정이 경리로 들어왔고, 차츰 한두 명의 직원을 더 고용했다. 그 세월 동안 미련은 평일이나 주말이나 남편 없는 여자처럼, 병원으로, 놀이공원으로, 대공원으로, 엄지를 혼자 데리고 다녔다. 작년부터는 경차를 사서 몰았다. 미련이 티코를 산 일로 대로가 화를 냈고, 그날로 티코를 어디론가 끌고 가더니, 누비라2로 바꿔 왔다. 그 후로 미련은 누비라2에 엄지를 태우고 다녔다. 결혼했다고는 하나, 잠자리를 한 횟수도 손에 꼽을 만큼 뜸했다. 대로는 직장 일로, 미련은 가사로 녹초가 되어 살았으니, 부부지간에 살을 맞댈 여력도 없었다. 언젠가 한 번은 대로가 엄지 동생을 낳자고 얘기를 꺼냈지만, 미련은 일언지하에 거절했다. 애 하나 키우기도 빠듯한데, 둘째는 꿈도 꾸지 말라고 못을 박았다.

시아주버니는 전화를 끊으려다가, 이상한 소리를 늘어놓았다.

"낮에 대로 회사에 갔더니, 희웅이 아버지가 찾아왔어요. 비봉에 있는 집을 어떻게 할 거냐고 묻던데, 명의를 찾아와야 하지 않겠어요? 대로가 그걸 희웅이 아버지 명의로 사 놨던데."

"화성 비봉이요?"

미련은 대로에게 달리 사놓은 집이 있다는 소릴 들어본 적이 없었다. 그러나, 시아주버니에게 남편과의 소통 문제로 책잡히고 싶지는 않았다. 어정쩡하게 전화를 끊고, 곧바로 대로의 회사에 전화했더니, 마침 희웅이 받았다.

"우리 그이가 희웅 씨 아버님 명의로 집을 산 게 있지요?"

별안간 희웅이 말을 더듬으면서, 제대로 대꾸를 못 했다.

"희웅 씨, 뭐예요? 그 집에 대해서 나한테 비밀이 있었던 거예요?"

미련이 따져 묻자, 희웅은 체념한 목소리로 말했다.

"대로가 죽은 마당에, 비밀로 할 게 뭐가 있겠습니까? 사무실에 직원들도 있고, 여기서 말하긴 곤란해요. 마침 회사 문제로 상의할 것도 있으니, 제가 그리로 가겠습니다."

그렇게 미련은 희웅과 따로 만나서, 긴 이야기를 나누었다.

***

딩동. 벨이 울리자, 미스 정이 문을 열었다. 실로 삼 년

만의 재회였다. 여상을 막 졸업한 미스 정이 경리로 고용된 삼 년 전에, 미련은 대로의 사무실에서 그녀를 보았다. 순박하고 명랑한 성격의 아가씨가 왔다고, 대로도 좋아했고, 미련도 반가워했다. 그랬던 미스 정이, 만삭의 몸으로 눈앞에 있었다. 그녀는 고개를 푹 숙여 미련에게 인사했다. 졸지에 대로를 잃은 미스 정의 얼굴은, 아내인 미련보다 더 푸석푸석했다.

거실에 발을 들인 미련은, 장식장에 놓인 작은 액자들 앞에 멈춰 섰다. 대로와 미스 정이 찰싹 붙어서, 세상에 둘도 없는 연인처럼 행복하게 웃는 사진들이었다. 미스 정이 대로의 허리를 감싸 안고, 대로는 미스 정의 어깨에 팔을 두른 사진은 썩 맘에 들었던지, 다른 사진보다 커다랗게 인화해서 소파 뒤 벽에 걸어 놓았다. 미련이 엄지를 데리고 쓸쓸히 놀이공원에 갔던 날이나, 소아과 병동에서 발을 동동 굴렀던 날에도, 두 사람은 이렇게 같이 있었을까? 미련은 노란색 가죽 소파에 무너지듯 주저앉았다. 미스 정은 말없이 부엌에서 커피 믹스 두 잔을 타서 가져왔다.

"산모가 커피를 마시겠다고 타온 거니?"

미련이 아니꼽게 물었지만, 미스 정은 순하게 대답했다.

"의사 선생님이 커피 믹스 한 잔 정도는 괜찮다고 해서요."

미련은 미스 정의 얼굴을 빤히 쳐다보다가 내뱉듯이 말했다.

"어쩐지, 남의 남편 장례식장에 와서 혼절하듯이 울더라니! 그 앳되었던 얼굴이 하도 변해서, 처음엔 누군지도 몰라봤었지. 둘이 언제부터 이런 사이가 됐어? 그동안 화성에서 동대문까지 출근했던 거야?"

미스 정은 고개를 저었다.

"사장님은 잘못이 없어요. 다 제 탓이에요. 아기를 낳겠다고 고집을 피운 사람도 저였고요. 회사는 작년부터 그만뒀어요. 그때부터 이 집에서 출산을 준비해 왔어요."

미련은 대로를 편드는 미스 정이 더욱 얄미웠고, 감쪽같이 자기를 속인 대로가 괘씸해서 치를 떨었다.

"이렇게 젊은 여자를 두고, 왜 자살을 한 거야? 순순히 속아주는 곰 같은 마누라에, 순진한 어린 첩에, 아주 호사가 넘쳤는데! 저 사진들 좀 봐. 아주 좋아 죽겠던데!"

비꼬는 미련은 아랑곳없이, 미스 정이 정색하며 물었다.

"사모님, 혹시 요즘 들어서, 사장님이 누군가를 피하는 것 같지 않던가요?"

"피하긴 누굴 피해? 뭐가 무서워서 그이가……."

미련은 대로가 며칠 동안 휴대전화를 집에 두고 출근했던 사실을 떠올렸다. 사업상 전화를 받지 못하면 손실이 커서, 휴대전화를 제 몸처럼 챙기던 위인이었다. 미련은 그 당시에 반복되는 대로의 실수가 의아했었다. 몇 번이나 휴대전화를 집에 놔두고 출근하자, 벌써 치매가 왔나, 왜 저런 중대한 실수를 할까, 혀를 찬 적도 있었다. 언젠가 새벽에 전화벨이 울리던 날, 대로는 화들짝 놀라서 잠자리를 박차고 벌떡 일어서기까지 했다. 남편은 잠귀가 어두운 사람인데, 요즘은 지나치게 예민하게 굴었다. 생각해 보니, 수상쩍은 점이 하나둘이 아니었다. 미련이 아리송한 얼굴로 생각에 잠겼는데, 미스 정이 말을 이어갔다.

"직원 중에 오태명 씨의 아들 오지남이 있지요?"

그러고 보니, 아주 예전에 나대로는 오태명으로부터 거북한 부탁을 들은 듯이 말했었다. 오태명이 작은아들을 데리고 있어 달란다면서 말끝을 흐렸고, 굉장히 곤란한 표정을 지었다. 미련은 당시만 해도, 오지남이 집에서 놀고 있으니까, 직장을 찾을 때까지 몇 달간 일하다 가겠거니, 하고 대수롭지 않게 들었다. 그런데, 아직도 오지남이 회사에 남아 있을 줄이야! 오태명은 삼선 국회의원으로, 한때 교육부 차관까지 지냈던 인물이었다. 비록 현재는 정치에서 물러났지만, 폭넓은 인맥으로 대로의 사업체를 알선해 주었다. 따지고 보면, 대로의 허파에 사업가의 바람을 불어넣은 이가 오태명이었다. 덕분에, 대로의 사업은 굵직한 거래처를 얻어 승승장구하다가, 얼마 전에 법인 주식회사로 상장했다. 그런데, 오태명의 아들이라면, 벌써 괜찮은 회사에 취직하고도 남았을 텐데, 왜 대로의 회사에서 미적거린단 말인가. 혹시 남편이 피했던 상대가 오태명일지도 모른다는 생각에, 미련의 머리칼이 쭈뼛 섰다.

　"오태명 씨가 처음에는 아들을 잠깐 맡아달라고 했대요. 그런데, 나중에는 자기 아들한테 법인 사업체를 떼어달라고 요구해서, 사장님이 머리가 하얗게 세도록 고민에 빠졌어요. 그 교활한 노인네가 처음부터 회사를 빼앗으려는 속셈으로, 오지남을 떠맡겼더라고요. 사장님은 미처 눈치 못 채다가, 오태명 씨가 발톱을 들이대니까, 뒤늦게 도망 다녔고요. 그날, 사고가 나던 날, 사장님이 자기를 피한다고 생각한 오태명 씨가 회사로 찾아왔었어요. 직접 와서 사장님을 데리고 나갔대요."

그것까지는 몰랐던 사실이었다. 미련은 씁쓸한 얼굴로 말했다.

"어떻게 미스 정은 회사에 대해서 나보다도 잘 알고 있지?"

미련은 임신으로 기미가 내려앉은 미스 정의 얼굴을 빤히 쳐다보면서, 원망 섞인 목소리로 물었다.

"그래서, 나 사장의 죽음과 오태명 씨 사이에 모종의 연관이 있다고? 오태명 씨가 어떤 협박을 해서, 그이가 생명에 위협을 느낄만한 상황으로 몰리기라도 했어? 나 사장의 죽음만이 오태명 씨를 피할 길이었다고 말하는 거야, 지금?"

미스 정은 손을 휘휘 내저으면서, 적당한 말을 찾지 못해 답답해했다. 그러더니, 커다란 배를 두 손으로 감싸면서 자리에서 일어나, 핸드백에서 편지 봉투를 꺼내왔다.

"이걸 보여드리고 싶지는 않은데, 사장님의 억울함을 풀어주려면, 이 편지가 꼭 필요할 것 같아요. 오태명 씨가 압박한 정황과 사장님의 능동적인 죽음 사이에 연관성을 밝혀야 해요. 그냥 단순한 교통사고가 아니라, 오태명 씨가 연루됐다고요. 어서 이 편지를 읽어보세요."

미련은 봉투를 열고, 편지를 꺼냈다. 남편의 필체는 낯익었지만, 그가 쓴 편지는 생전 처음 봤다. 대로는 글재주가 없었고, 편지 쓰기를 싫어했다. 신혼 초에 거래처에 보냈던 크리스마스 엽서도, 미련이 대신해서 써주었을 정도였다. 그런데, 자기한테는 평생 쓴 적 없는 자필 편지를 미스 정에게, 그것도 생애 마지막 순간에 보낸 거였다. 남편이 죽음을 예감하고 마지막으로 떠올린 여자가 미스 정이었다니, 미련의 가슴 깊숙한 데서 묵직한 아픔이 느껴졌다.

'애련아!

네가 이 편지를 읽을 즈음이면, 나는 이 세상 사람이 아닐 것 같다.

우리 아기가 태어나는 모습을 보고 싶었는데, 아쉽고 서럽다. 하긴, 우리 애련이가 잘 키워주리라 믿지만, 그래도 아빠가 곁에 있는 것과는 다를 테니, 미안하기 그지없다. 병원에서 아들이라고 했다지? 그렇다면, 우리 씩씩한 아들은 장군이라고 부를까? 하하하! 농담이고, 아기 이름을 대한이로 지으면 어떨까. 나대한. 앞으로 대한민국을 책임질 인재라는 뜻을 담은 귀한 이름, 나대한. 얼마 안 남은 우리 아들의 탄생을 진심으로 축하하고 싶다.

애련아! 내가 없더라도 우리 대한이와 꿋꿋하게 살아가다오. 너를 생각하니, 하염없이 눈물이 흐른다. 어쩌자고 나같이 못난 사람을 믿고 따르게 되었니? 바보 같이. 또, 나 없는 세상을 어찌 살아갈래?

그러나, 한편으로는, 우리 아들의 엄마가 너라서, 한량없는 미더움을 느낀다. 애련이라면, 당차게 우리 아들을 키워내겠지. 내가 너한테 줄 수 있는 게 아무것도 없어서 미안하다. 이런 허접한 말 따위가 무슨 위로가 되겠어? 하지만, 나는 널 이 세상 누구보다 사랑한다. 넌 내가 지구상에서 사랑하는 유일한 여인이다.

정애련, 사랑한다.

너를 향한 영원한 사랑을 가슴에 안고, 너 없는 먼 길을 홀로 떠나려 한다.

내가 떠나도 너만은 우리 아들과 함께 행복하게 살기를! 내가 저세상에서 너와 대한이를 지켜보면서 응원할게. 힘들 때마다 나를 기억하렴. 그럼, 안녕!'

나대로는 아내와 딸에게 아무런 유언도 남기지 않았다. 물론, 나대로의 명의로 된 재산은 가족의 몫이 되겠지만, 그 뿐이었다. 미련과 엄지에게는 일언반구도 없이 떠난 그가, 미스 정과 배 속의 아기에게는 사무치는 정을 담아, 눈물을 흘리면서 편지를 썼다니! 남편이 볼펜으로 꾹꾹 눌러쓴 편지를, 미련은 읽고 또 읽었다. 첫 번째 읽을 적에는 눈물이 핑 돌았지만, 두 번째부터는 눈물조차 돌지 않았다.

미련은 미스 정의 눈을 바라보지 않고, 편지지에 시선을 고정한 채 담담하게 말했다.

"이 편지를 내가 가져가도 될까? 나 사장이 자살할 수밖에 없던 정황을 증명하려면, 이 편지가 중대한 자료로 쓰일 것 같네."

미스 정은 잠시 망설이면서 애틋하게 편지를 바라봤지만, 이내 고개를 주억거렸다.

"저도 그럴 것 같아서, 소중한 편지를 사모님께 드린 거였어요. 단순한 교통사고가 아니라는 증거물로 사용해 주세요. 저야 아무런 권한이 없지만, 사모님은 떳떳하게 앞에 나서서 사장님의 억울함을 풀어주실 수 있잖아요."

기미가 잔뜩 낀 얼굴을 하고, 미스 정은 희미하게 웃었다. 미련은 편지를 핸드백에 쑤셔 넣은 후에, 다 식어서 맛을 잃은 커피를 단숨에 들이켰다.

"이만 실례할게. 미스 정, 이 집은 수일 내로 비워 줘야겠어. 혹시 알아? 나 사장이 미스 정의 급여 계좌로 목돈을 부쳐놨을지."

미스 정은 화들짝 놀라면서 되물었다.

"그걸 어찌 아셨어요? 사장님이 엄청나게 큰돈을 입금해 놓으셨더라고요. 그것도 사고 전날에요."

미련은 빙긋이 미소 지으면서, 세상 너그러운 얼굴로 미스 정을 바라보았다.

"그래, 그 돈으로 방을 마련해서 나가면 되겠네. 나는 이 편지를 가지고, 나 사장이 오태명 씨의 협박으로 죽음에 몰린 정황을 추적해 볼게. 우리가 또 만날 일이 생길지는 모르겠지만, 아들 잘 낳고, 행복하게 살길 바랄게."

미스 정은 눈물을 글썽이면서, 고개를 깊이 숙여 감사의 인사를 올렸다. 현관문이 닫히자, 미련은 잠시 머리에 손을 얹고 입술을 질끈 깨물었다. 마지막 자존심을 허물지 않고 최대한 우아하게 대처하려고 노력했다. 비봉을 떠나면서, 근처 부동산에다 집을 내놨고, 희웅에게도 전화를 걸었다.

"희웅 씨, 비봉 집을 부동산에 내놨어요. 아버님께 빨리 팔아달라고 말해 주세요. 그리고, 회사 운영에 대해서 같이 의논해 보기로 해요."

"아, 회사를 경영하기로 마음먹으셨나 봐요?"

"자세한 얘기는, 내일 만나서 나누기로 하지요."

미련은 전화를 끊고, 서둘러 집으로 돌아갔다.

***

한밤중에 엄지가 거실로 나왔더니, 엄마가 아빠의 재떨이에다가 뭔가를 태우고 있었다.

"엄마, 뭐해? 불장난해? 불장난하면 오줌 싼다고, 나한테는 못하게 해놓고는."

엄지가 미련의 옆에 쪼그려 앉았다. 미련은 엄지를 돌아보면서 대답했다.

"이건 꼭 태워야 하는 종이야. 누군가, 거짓말을 잔뜩 써놓은 편지거든."

"거짓말? 누가 누구한테 무슨 거짓말을 했는데?"

엄지가 호기심 가득한 눈으로 미련을 올려다보았다.

"어떤 남자가 어떤 여자한테 사랑한다고 편지를 보냈어, 글쎄. 사랑하지도 않으면서 거짓말한 거 있지?"

"그 남자는 왜 거짓말을 하게 됐어?"

미련은 어린 딸의 순진한 눈망울을 들여다보면서, 대답할 말을 찾아 눈동자를 굴렸다.

"그건, 음, 왜냐면, 음, 그 남자가 진짜 사랑하는 여자가 따로 있었어. 그런데, 그 여자가 너무 바빠서, 그 남자가 하는 말을 들어줄 시간이 없었대. 하는 수 없이 남자는 다른 여자한테 가서, 사랑한다고 거짓말을 해 버렸어."

엄지는 고개를 갸웃거리면서 생각하는 듯하더니, 입술을 삐죽 내밀며 말했다.

"사랑하지도 않는데, 사랑한다고 거짓말했어? 그럼, 바쁜 여자는 어떻게 됐어? 사랑한다는 말을 못 들었어? 아니면, 이 편지를 진짜 사랑하는 여자가 갖게 됐어?"

미련은 편지지를 다 태운 불꽃이 풀썩 스러지는 걸 보면서 대답했다.

"응, 결국 이 편지는 주인에게 돌아왔어. 진짜 사랑하는 여자한테."

엄지는 방긋 웃으며 진심으로 기뻐했다.

"아, 다행이다. 그래도 그 여자는 착한 사람이었네. 예쁜 거짓말을 주인한테 돌려줬으니까."

미련은 자기도 모르게 입술을 삐쭉 내밀었다.

"예쁜 거짓말이라고? 하긴, 주인한테 편지가 돌아왔으니까, 다 잘된 일이지. 그렇지만, 그 여자가 착하긴 뭐가 착해. 하나도 안 착해."

엄지가 지지 않고, 고집스럽게 말했다.

"엄마. 미워한단 말은 미운 말이고, 사랑한단 말은 예쁜 말이야. 그런데, 사랑한다고 썼으니까, 음, 음, 예쁜 거짓말을 한 거야. 그러니까, 아빠가 진짜 사랑한 사람이 엄마였구나. 이렇게 엄마한테 편지가 와 있으니까. 그렇지?"

미련은 아랫입술을 윗니로 지그시 깨물었다.

"엄지야, 넌 왜 자다 말고 나왔어? 일찍 자고 일찍 일어나야지, 착한 어린이지."

"응, 참, 나 오줌 마려워서 화장실 가려고 나왔었지."

엄지가 작은 주먹으로 자기 머리에 꿀밤을 한 개 먹이더니 화장실 문을 열고 들어가려다가, 엄마를 돌아보면서 한쪽 눈을 찡긋했다. 미련이 엄지를 향해 싱긋 웃자, 화장실로 들어가 쫄쫄 오줌 소리를 냈다.

충전기에 꽂아놨던 휴대전화가 울렸다. 시아주버니의 전화였다.

"제수씨, 대로가 사고 난 날, 오태명 씨 집에 붙들려 가서

술을 먹었대요. 경찰 조사에서 밝혀졌는데, 오태명 씨는 왜 비밀로 했을까요? 그 사람이 대로 장례식 때도 자기가 뭐라도 된 양 행세하면서, 앞장서서 주도했었잖아요. 뭔가 너무 수상쩍고 기분 나쁜데, 증거가 없네요."

시아주버니는 의문이 풀리지 않는 대로의 죽음을 밝히려고, 여기저기 쑤시고 다녔다. 오태명도 시아주버니의 신고로 경찰 조사를 받았고, 혐의가 없어서 몇 시간 만에 풀려났다고 했다.

"아주버님, 자꾸 조사하면, 그이의 죽음이 타살로 변하나요? 운전자도 풀려났고, 창고에도 누가 끌고 간 게 아니라 제 발로 걸어갔잖아요."

"그건 그렇지만, 설마, 제수씨는 대로의 죽음이 이대로 묻혔으면, 하고 바라는가요? 아무도 책임지는 사람도 없이, 대로가 길에서 억울하게 죽은 걸로 끝났으면 좋겠어요?"

시아주버니의 목소리에는, 하루아침에 동생을 잃어버린 슬픔이 진하게 묻어났다. 누구를 끌어들이든지, 자살로 판명된 대로의 죽음을 타살로 뒤바꾸는 기적은 일어나지 않을 터였다. 미스 정에게 쓴 나대로의 편지조차 불륜의 증거일 뿐이지, 오태명의 범죄를 증명할 수는 없다. 더군다나 이 편지는 나대로의 사회적 명성에 먹칠하기에 충분했다. 미련은 감정이 담기지 않은 어조로 말했다.

"별수 없지요. 그이가 남긴 회사도 돌봐야 하고, 유산 문제도 그렇고, 신경 쓸 게 산더미예요. 저까지 아주버님처럼 청와대니, 법원이니, 경찰서까지 찾아다니면서, 길에다 시간을 낭비할 수는 없는 노릇이잖아요."

미련의 말투가 서운했던지, 시아주버님은 이내 전화를 끊어버렸다. 어느새 화장실에서 나온 엄지가, 미련의 뺨에 뽀뽀하고 방으로 들어갔다.

미련은 다시 재떨이를 내려다보았다. 남편이 꾹꾹 눌러쓴 예쁜 거짓말이 새까만 재가 되어 뒹굴고 있었다.

제3화 별빛 아래서

***

　며칠 전에 우리 반에 전학생이 왔다. 이름은 김남은. 첫날부터 나는 걔가 소심하고 친구가 없는 스타일이라고 생각했다. 선생님이 자기소개를 하라는데, 쭈뼛거리면서 얼굴이 사과처럼 붉어지는 거였다. 다른 아이들은 학기 초부터 자기와 맞는 친구를 쟁취하려고 에너지를 많이 쏟는데, 전학생은 다른 사람에게 도통 관심이 없었다. 선생님은 전학생을 도와주라면서 반장이던 내 옆자리에 앉혔지만, 남은이는 혼자 책을 읽거나 멍하니 허공을 바라보기 일쑤였다. 몇 주동안 공을 들이며 우리 반에 적응시키려고 애쓰던 나는, 결국 화가 나서 그 아이를 투명 인간 취급하기로 했다. 키가 크고 비쩍 말라 달리기도 못 하고, 툭하면 코피를 쏟기가 일쑤여서 아이들이 따돌렸다.

남은이는 모든 면에서 우리와 달랐다. 단층 양옥만 있는 우리 동네에서 유일하게 이층집에 살았고, 대문에는 말하는 초인종이 달려 있었다. 벨을 누르면 '누구세요?'하고 묻고 사람이 직접 나오지 않아도 대문이 저절로 열리는 신식 기계였다. 우리는 그게 신기해서 초인종을 누르고 '누구세요?' 하는 목소리가 들리면 '와아!' 비명을 지르며 도망가곤 했다.

언젠가 교우관계 조사서에서 내가 가장 좋아하는 친구와 가장 싫어하는 친구를 쓰라고 했는데, 좋아하는 친구는 의정이를, 싫어하는 친구는 남은이를 썼다. 하지만, 엄마 의견은 나와 정반대였다. 엄마는 반상회에서 남은이 엄마와 만난 뒤로는 무슨 심사인지 남은이와 사이좋게 지내라고 자꾸 강조했다. 남은이가 전에 다니던 학교에서 영재였고, 가정환경이 좋다면서, 가까이 사귀면 배울 게 많다는 얼토당토않은 이유에서였다.

***

엄마는 의정이를 싫어했다. 싫어한다기보다 혐오한다는 표현이 맞았다. 누구와 '놀지 말라'는 표현을 쓴 사람은 의정이가 유일했다. 엄마는 내가 의정이와 같이 있는 장면조차 허락하지 않았다. 그 이유가 무얼까 곰곰 생각해 보았다. 의정이는 아빠가 없었다. 의정이 엄마는 전국을 돌아다니면서 한약을 만드는 일을 하는데, 처음에는 보름에 한 번 집에 오다가 차츰 한 달에 한 번, 두 달에 한 번, 이런 식으로 뜸하게 집에 왔다. 의정이네는 간호사를 꿈꾸는 여고생인 효정 언니와 사 학년인 의정이만 살다가, 최근에는 문간방에 아주머니 한 분이 세 들어 살았다. 엄마는 내가 의정이와 놀면 절대 안 된다고 못을 박았지만, 나는 이 세상에서 의정이가 제일 좋았다. 어떤 면에서는 우리 식구보다 더 좋았다.

엄마는 아기를 낳았고, 동생이 생기면서 내게는 많은 변화가 생겼다. 그 첫 번째는 내 방이 생긴 거였다. 안방에서 엄마, 아빠, 아기 이렇게 셋이 자고, 나만 따로 방을 쓰게 되었다. 독방을 쓰면서 비밀도 하나 생겼는데, 야심한 밤에 식구들 모르게 외출하는 습관이 생겼다. 아기에게 젖을 먹이는 엄마는 저녁을 먹고 초저녁이면 일찌감치 아기를 품에 안고 잠을 잤다. 아빠는 회사에서 밤 열 시에 오셨다. 나는 엄마가 잠든 초저녁부터 아빠가 퇴근하는 사이에 살짝 집에서 빠져나가 의정이네서 놀다 왔다. 꽤 여러 날 동안 탈출했어도 부모님은 눈치채지 못하셨다.

그날도 나는 대문을 소리 안 나게 살며시 열고 집을 빠져나왔다. 대문을 닫을 때는 굉장히 조심스럽게 행동해야 했다. 잠길 듯 말 듯 문고리를 살짝 걸어놔야 이따가 돌아와서 대문을 열 수가 있었다. 언젠가 한 번은 대문을 꽉 닫아서 잠겨버리는 통에, 집에 들어올 때 담벼락의 쓰레기통을 밟고 담장을 넘었다. 그렇게 고생한 뒤로는 대문을 닫는 힘을 조절하느라 무척이나 공들였다. 집을 빠져나가면, 물건을 훔쳐 달아나는 도둑처럼 재빠르게 줄행랑쳤다. 골목 끝에서 사잇길로 접어들어야 의정이네 집이 있었다.

추운 날씨였는데도 툇마루에 의정이가 나와 있었다. 의정이는 나보다 한 살 많은 사 학년이었지만, 어릴 적부터 이름을 부르며 동네에서 뛰놀았다. 학교에 입학하고서야 한 학년 위라는 사실을 알았지만, 새삼스럽게 언니라고 부를 수는 없는 노릇이었다.

"의정아!" 하고 부르자, 번개처럼 뛰어와 대문을 열었다. 언제나처럼 의정이네 집은 자유로웠다. 부모님만 없는 게 아니라, 고등학생인 효정 언니도 야간자율학습을 했다. 우리가 무얼 하든 잔소리할 어른 따위는 없었다.

문간방 아주머니가 방문을 열고 우리를 불렀다.

"너희 둘이 가서 담배 좀 사와."

"담배요?"

의정이가 내키지 않는다는 듯이 심드렁하게 물었다.

"영진식품에 가서 솔담배 한 갑 사고, 대신 잔돈은 가져도 돼."

의정이가 머뭇거리며 나를 보았다. 내가 고개를 살짝 끄덕이자, 의정이는 지폐를 받았다. 돈을 건네는 아주머니의 기다란 손톱에 빨간색 매니큐어가 발라져 있었다.

대문을 나서자마자 의정이는 낮게 속삭였다.

"아줌마 방에 맨날 남자가 와서 둘이 맞담배 피워."

의정이는 뻐끔뻐끔 담배 피우는 흉내를 냈다.

"뭐, 여자가 담배를 피워?"

"바보! 어른이 되면 뭐든 할 수 있는 거야."

말을 마친 의정이는 신호도 주지 않고 달려갔다.

"야, 같이 가!"

덩달아 뛰었지만, 우리 동네 달리기 챔피언 보유자인 의정이를 따라잡기란 불가능했다. 영진식품에 도착했을 때는 가슴이 들썩들썩해서 한동안 말을 하지 못했다. 의정이가 먼저 숨을 고르고 주인아저씨한테 말했다.

"아저씨, 솔담배 주세요. 그리고, 너 뭐 먹고 싶어?"

나는 짭짤한 라면 과자인 자야를 집었다. 의정이는 자야 두 개와 담뱃값을 계산했다. 그래도 거스름돈이 남았다. 돌아가는 길에는 뛰지 않고 자야를 사이좋게 먹었다. 의정이가 "아줌마!"하고 부르자, 방문이 열렸다. 정말 아저씨 한 사람이 방에 있었다.

"여기 담배랑 잔돈이요."

"잔돈은 너희 둘이 나눠 가져."

아줌마는 사람 좋은 웃음을 씽긋 웃더니, 담배만 받고 문을 닫았다.

"우리 부엌 놀이하자."

의정이는 내 손을 잡고 부엌으로 이끌었다. 벌써 기대감에 가슴이 두근거렸다. 의정이 집에서 하는 소꿉놀이는 흙으로 하는 게 아니라 진짜 쌀밥이랑 부엌 도구로 하는 놀이였다. 우리 집에서는 상상도 못 했던 놀이가 의정이 집에서는 가능했다. 틀에 박힌 딱딱한 일상에서 말랑말랑한 자유의 세계로 넘어오는 계단과도 같았다. 의정이네 집은 자유의 전당이었다.

"언니랑 달고나 만들어 먹었는데 되게 맛있었어. 우리끼리 해 먹자."

"손을 데지 않을까?"

부엌에서 처음으로 요리라는 걸 하게 되었지만, 걱정스럽고 뭔가 죄를 짓는 기분이었다.

"조심하면 돼. 국자에 설탕을 붓고 소다를 넣고 젓가락으로 저어주기만 하면 끝. 네가 해볼래?"

의정이가 국자를 내밀자, 내 손으로 요리하는 영광스러운 순간을 놓치기 싫어서 냉큼 받았다. 국자에 설탕을 넣고 연탄불 위에서 젓가락으로 휘휘 젓자, 설탕은 금방 녹았다. 캐러멜처럼 변한 설탕에 소다를 넣었더니, 국자가 수북하게 부풀었다. 소다를 한 번 더 젓가락으로 찍어 넣고 빙글빙글 돌리자, 학교 앞에서 파는 달고나 색깔과 똑같아졌다. 의정이가 만족스럽게 웃으며 말했다.

"잘하는데? 이제 쟁반에 부어."

나는 달고나를 부뚜막에 있는 쟁반에 대고 탁! 쳤다. 의정이는 밥그릇 뚜껑으로 납작하게 달고나를 눌렀다. 우리는 쟁반에 놓인 달고나를 후후 불면서 맛있게 먹었다.

그때 밖에서 대문 소리가 났다. 효정 언니가 돌아온 모양이었다. 또래보다 작은 의정이와는 다르게 효정 언니는 훤칠하게 컸다. 간호사보다 모델이 어울리는 몸매였다.

"영희 왔구나. 둘이 재밌게 놀았니?"

"응, 언니 왔으니까, 이제 집에 가려고."

"왜, 자고 가지."

효정이 언니 말에 용기를 얻은 의정이가 좋아서 내 팔을 붙잡았지만, 그랬다가는 내 목숨이 위태로웠다. 엄마 몰래 빠져나온 것도 모자라 의정이네서 잠까지 자는 게 용납될 리 만무했다.

"언니, 영희 좀 바래다주고 와도 돼?"

평소 같으면 의정이 혼자 바깥에 나가지 못하게 했을 효정 언니였지만, 웬일인지 이날은 내보내 주었다.

별이 총총히 빛나는 밤이었다. 의정이가 대뜸 제안했다.
"우리 노래 만들까?"
"무슨 노래?"
의정이는 밤하늘을 우러러보면서 진지하게 입을 열었다.
"저 별 봐. 저렇게 많은 별이 친구랑 사이좋게 놀다가 우리처럼 헤어지고 있잖아."
나는 가만히 노래를 불렀다.
"높은 하늘 위에 별 두 개가 울고 있어요. 밤이 되어서 두 별은 떨어져서 비춰야 해요."
의정이가 고개로 박자를 맞추다가 딴지를 걸었다.
"두 별은 헤어져야 한대요, 이게 낫겠다."
나는 즉시 가사를 고쳐 불렀다.
"두 별은 헤어져야 한대요. 얘 잘 가. 얘 잘 있어. 인사합니다."
의정이는 금방 노래를 외우더니, 같이 불러보자고 했다.
"높은 하늘 위에 별 두 개가 울고 있어요. 밤이 되어서 두 별은 헤어져야 한대요. 얘 잘 가. 얘 잘 있어. 인사합니다."
"이거 무용도 만들자."
의정이는 손가락으로 하늘을 가리키며 "높은 하늘 위에" 라고 가사를 붙였다. 우리는 동시에 손가락 두 개를 올리고 우는 시늉을 했다.
"별 두 개가 울고 있어요."

의정이는 다시 열 손가락을 머리 위에서 가슴께로 내리면서 "밤이 되어서" 하고 노래했다. 우리는 동시에 손가락 두 개를 들고 "두 별은"이라고 노래했다. 죽이 잘 맞았다.

"헤어지는 건 어떻게 할까?"

내가 묻자, 의정이는 빠이빠이 하는 손짓을 하면서 "헤어져야 한 대요" 하고 노래 불렀다.

"얘 잘 가, 얘 잘 있어는 어떻게 하지?"

우리는 둘 다 어려움에 부딪혔다. 잠시 생각에 잠겼던 의정이가 먼저 말했다.

"네가 '얘, 잘 가' 손을 흔들면, 내가 '얘, 잘 있어' 하고 손을 흔들면 돼."

"와, 좋은 생각이다. '인사합니다' 는 둘이 마주 보면서 손을 흔드는 거야."

"오, 멋져!"

우리는 처음부터 이별 노래를 함께 부르며 춤을 췄다. 어느새 우리 집 앞이었다. 대문을 살짝 밀면서 의정이한테 잘 가라고 인사했다. 의정이는 비밀스럽게 웃으며 속삭였다.

"내일 보자."

대문을 잠그기 전에 의정이가 어디만큼 갔나 목을 길게 빼고 봤더니, 벌써 저만치 달려가고 있었다. 텅 빈 어둠 속에서 타닥타닥 의정이의 발소리만 울려 퍼졌다.

***

다음 날에는 학교에서 돌아오자마자, 기다렸다는 듯이 엄마가 모래네 시장에 가자고 했다. 일 년 내내 신었던 요술

공주 샐리 운동화에 구멍이 나서 새 운동화를 살 때가 되었다. 엄마는 아기를 포대기에 업고 겨울 스웨터의 맨 윗단추를 잠갔다. 몹시 추운 날씨였지만, 엄마의 등이 따뜻한지 스웨터 안에서 아기는 쌕쌕 잠들었다. 나는 모처럼 가는 시장길이라 한껏 들떠서 팔짝팔짝 뛰었다. 그때, 남은이가 영진식품 쪽에서 다가와서 아는 체했다.

"영희 어디 가니?"

'재수 없게 오늘따라 왜 친한 척하고 그래?'

투명 인간처럼 남은이를 대하기로 맘먹은지라 못 들은 척했는데, 엄마가 나를 불러 세웠다.

"영희야, 친구가 인사하잖니."

"쟤가 왜 친구야. 엄만 아무것도 모르면서!"

엄마는 내 팔을 살짝 꼬집더니 생글생글 웃으며 말했다.

"네가 남은이지? 참 잘 생겼구나. 우리 영희랑 사이좋게 지내렴. 지금은 시장 가는 길인데, 금방 갔다 올 테니 이따가 같이 놀아, 알겠지?"

엄마의 상냥한 말에 남은이는 입을 헤 벌리고 웃어 보였다. 나는 고개를 빳빳하게 들고 두 사람을 지나갔다. 엄마가 씩씩 숨을 몰아쉬면서 뒤따라왔다.

"얘, 기다려. 왜 그리 빨리 가니. 엄마 힘들다, 에고."

나는 걸음을 멈추고 엄마한테 짜증을 부렸다.

"엄만 창피하게 왜 그래?"

"창피하긴 뭐가 창피해. 저 애 얼마나 의젓하고 예의 바르니. 저런 얌전하고 가정교육 잘 받은 애랑 놀면 하나라도 더 배우는 법이야. 너는 사람 보는 눈이 없어서 큰일이다. 괜히 의정인가 뭔가 하는 애랑 어울렸다가는 혼날 줄 알아!"

　엄만 의정이 이름만 꺼내도 화가 나는지 금세 으름장을 놓았다. 왜 남은이를 좋아하는지 알 수가 없었다. 우리 동네에서 제일 좋은 이층집에 살아서일까. 아니면 엄마 딸은 바이엘을 치는데, 남은이는 체르니 30번을 치는 게 부러워서일까. 저렇게 하얗고 긴 손가락에 엄마 맘을 빼앗겼는지는 몰라도, 천만의 말씀, 내 스타일은 달랐다. 남은이는 별난 아이였다. 다른 애들은 뛰어다니는 걸 좋아해서 쉽게 빨 수 있는 옷을 입는데, 남은이는 아빠가 출근할 때 입는 양복 비슷한 옷을 입고 우리가 노는 걸 구경하곤 했다. 땀을 흘리면서 뛰노는 모습을 본 적이 없었다.

　시장에서 떡볶이와 순대를 먹고 난 다음, 운동화를 파는 가게에 들어갔다. 이것저것 신어봤는데, 앵두가 그려진 빨간색 운동화가 맘에 들었다. 가격을 흥정하던 엄마는 아저씨가 도통 깎아주지 않자, 내가 신고 있던 운동화를 강제로 벗겼다. 나는 몹시 서운했다. 이 운동화가 맘에 들었다. 가게 주인아저씨는 황급히 엄마를 말렸다.

　"이렇게 예쁜 운동화는 다른 데서 못 사요. 다리만 아프다니까 그러네."

　"그럼, 천 원이라도 깎아주던가."

　"에그, 아줌마도 참 대단하셔. 그래요, 내가 졌어요. 천 원 깎아드릴게."

　아저씨는 상자를 꺼내서 빨간색 운동화를 담으려 했다.

　"엄마, 나 저 운동화 신고 갈래."

　아저씨는 빨간 운동화를 다시 땅바닥에 내려놓았다.

　새 운동화를 신어서인지 발걸음이 가벼웠다. 눈앞에 붕어빵 장수가 있었다. 엄마는 붕어빵 열 개를 봉지에 담으며 말했다.

"너 이거 남은이하고 먹어. 다른 애들 주지 말고,"

예쁜 새 운동화를 신고 날 듯이 동네로 돌아온 나는 붕어빵 열 개가 담긴 봉지를 들고 골목길로 나갔다.

"얘들아, 붕어빵 먹을 사람 한 줄로 서라!"

아이들은 칼싸움하던 막대기를 땅바닥에 내동댕이치고 앞다투어 달려왔다. 맨 앞줄에 경철이, 두 번째가 순자, 세 번째가 경철이 동생 영철이, 네 번째가 정자, 다섯 번째가 인혁이, 여섯 번째가 동수였다. 그 뒤로 남은이가 어정쩡하게 서 있었다. 의정이는 보이지 않았다. 나는 경철이부터 동수까지 봉지에서 꺼낸 따끈따끈한 붕어빵을 하나씩 나눠 주었다. 아이들은 좋아서 입이 헤 벌어졌다. 남은이가 멀찌감치 서서 나를 바라보았다. 그러거나 말거나 나는 여섯 개의 붕어빵만 나눠준 채 아이들을 해산시켰다. 순자가 말했다.

"영희야, 남은이도 있어!"

나는 잠시 망설였다. 그때 경철이가 큰 소리로 말했다.

"남은이는 줄 선 게 아니잖아. 그냥 멀리서 구경한 거야."

아이들이 일제히 맞장구를 쳤다.

"맞아, 남은이는 붕어빵 먹기 싫은가 봐!"

나는 남은이를 본체만체하고 붕어빵 봉지를 여미며 집으로 발길을 돌렸다. 몇 걸음 걸었을까. 등 뒤에서 일곱 살짜리 영철이가 걱정스럽게 말했다.

"저기 이층집 형 코에서 피 나."

뒤이어 경철이가 투덜거리는 소리가 들려왔다.

"쟨 툭하면 코피를 쏟네. 벌써 몇 번째야."

몇 걸음 걷다가 돌아보니, 남은이가 손으로 코를 감싸 쥐고 이층집 대문 앞에 서 있었다.

나도 모르게 남은이를 바라보았다. 대문이 열리고 아주머니가 나오더니, 남은이를 데리고 들어갔다. 집으로 들어가던 남은이가 갑자기 내 쪽으로 고개를 돌렸다. 눈이 마주치자, 깜짝 놀라 후다닥 집으로 뛰어갔다. 우리 동네 아이들은 다 방구나 말타기나 칼싸움하고 놀았다. 가끔은 누가 빠르나 달리기 시합도 했다. 남은이는 그런 놀이를 할 줄 몰랐다. 학교에서나 동네에서나 놀이에 끼지 못하고 유령처럼 겉도는 남은이가 자꾸 신경 쓰였다. 그런 남은이를 투명 인간 취급하지 못하는 내가 짜증스러웠다.

'붕어빵은 이따가 의정이 집에서 먹어야지.'
방으로 돌아온 나는 뜨끈한 아랫목에 붕어빵 봉지를 묻어 두었다. 밤이 되자, 아랫목에서 붕어빵을 꺼내 들고 의정이네로 향했다. 역시나 의정이는 툇마루에서 혼자 있다가 반겨 주었다. 붕어빵은 차가운 밤공기에 미지근해졌다. 의정이는 방에 가서 오백 리터짜리 우유를 가져왔다. 우리는 마루에 걸터앉아서 달콤하고 고소한 붕어빵과 우유를 먹었다. 의정이가 갑자기 생각난 듯이 말했다.
"언제 개천에 미끄럼 타러 가자. 개천물이 꽁꽁 얼었더라. 작년처럼 거기에다 칸막이치고 스케이트장 개장하면 우린 돈 내고 타야 해."
"스케이트장 열면 사람이 엄청 많이 모일 텐데."
"그러기 전에 당장 가야 하는 거 아냐?"

우리는 조바심이 나서, 머리를 맞대고 썰매 탈 계획을 세웠다.

"당장 내일 썰매 타러 가야 해."

"얼음이 꽁꽁 언 게 맞아? 혹시 살얼음이면 빠질지도 몰라."

내가 헤엄을 못 친다고 망설이자, 의정이는 확신에 찬 목소리로 쐐기를 박았다.

"염려 마. 얼음이 꽁꽁 언 거 내 눈으로 똑똑히 봤다니까."

그렇다면 망설일 것도 없었다. 우리는 의기투합해서 일요일인 내일 개천에 썰매 타러 가자고 굳게 약속했다.

***

다음 날은 일요일이라 늦은 아침을 먹는데, 엄마가 잔소리를 시작했다.

"너 요즘도 의정이랑 어울려 노니?"

나는 숟가락으로 국을 떠먹다가 깜짝 놀라 재채기가 나왔다. 국물이 코로 넘어와 눈물이 핑 돌았다. 엄마가 요즘 밤마다 내가 몰래 외출한다는 사실을 눈치챈 걸까. 짧은 순간 고민했지만, 그렇다면 엄마 성격에 이렇게 물어보기 전에 회초리부터 휘둘렀을 게 뻔했다. 나는 게임의 여왕처럼 시치미 떼는 쪽으로 주사위를 던졌다. 애써 아무렇지도 않은 표정을 지었지만, 엄마 눈을 마주치지는 못했다.

"아니! 엄마가 의정이랑 놀지 말라고 했잖아."

"정말이지? 너 거짓말했다가는 경을 칠 줄 알아!"

엄마가 눈을 세모나게 뜨고 나를 다그치자, 아버지가 혀를 끌끌 찼다.

"쯧쯧, 애한테 잘하는 짓이다. 친구를 두루두루 사귀라고 가르쳐도 모자랄 나이에."

엄마는 아버지를 노려보며 쏘아붙였다.

"당신은 알지도 못하면서, 걔가 어떤 앤 줄 알고 편을 들어! 부모가 있어도 고아처럼 자라는 아이면 문제가 있지. 아빠라는 사람은 가출인지 출가인지 집을 나가버렸고, 엄마란 위인도 도통 볼 수가 없어. 애들만 팽개쳐 둔 집에 하필 세를 줘도 술집 여자야. 무엇 하나 제대로인 게 없는 집에서 자랐으니, 애가 천방지축이라 공부도 반에서 꼴찌라고. 그런 애랑 붙어 있으면 순진해 빠진 얘가 뭘 배우겠어. 근묵자흑이라고, 나쁜 친구 가까이 둬서 아이 인생 망치면, 당신이 책임질 거야!"

아빠는 뭐라고 말할 듯 입술을 씰룩였지만, 이내 체념하고 숭늉을 들이켰다. 엄마는 동생을 낳고 화병이 생겼는지 목소리가 예전보다 커졌다. 아기가 놀랄까 봐 작은 목소리를 내려고 노력하다가도, 참지 못하고 이내 언성이 높아졌다.

엄마가 이토록이나 의정이를 싫어하다니, 나는 한숨을 내쉬었다. 엄마의 잣대로 의정이를 평가하자면 공부도 못하고 가정교육도 못 받은 형편없는 아이지만, 내 생각에 의정이는 달리기도 우리 동네 챔피언이고, 노래도 잘하고, 옛날이야기도 재미있게 하는 친구였다. 어떻게 해야 엄마가 이 사실을 믿게 될까. 아니, 믿게 된다고 해도 그걸로 엄마가 의정이를 좋은 아이라고 생각할까. 절대 아니라서 가슴이 답답했다.

 가끔 의정이와 노는 모습을 들키면, 엄마는 내 팔을 붙잡고 집으로 데려왔다. 그러면 의정이는 멀뚱멀뚱 골목길에 혼자 서 있곤 했다. 낮에는 엄마가 감시하니까, 엄마가 초저녁 잠자는 시간만을 기다렸다. 엄마를 속이는 게 양심에 찔렸지만, 이것만이 내가 좋아하는 의정이를 만나는 유일한 방법이었다.

 아침을 먹고 아빠가 등산복을 입고 밖으로 나갔다. 나도 아빠를 따라 쏜살같이 대문 밖으로 나갔다.
 "아빠!"
 "왜? 어디 놀러 가니?"
 "응, 친구랑 놀기로 했어."
 아빠는 주머니에서 용돈을 꺼내 주었다. 나는 돈을 손에 쥔 채 아빠를 빤히 쳐다보았다.
 "저기, 아빠, 아빠도 내가 의정이랑 노는 거 싫어?"
 아빠는 바로 대답하지 않고 뜸을 들이다가 입을 열었다.
 "넌 의정이가 왜 좋아?"
 "어, 왜냐면, 의정이는 우리 동네에서 달리기를 제일 잘해. 난 달리기에 소질이 없잖아. 또, 의정이는 노래도 잘하고, 무용도 잘해."
 아빠는 가만히 듣고만 있었다.
 "또, 의정이랑 놀면 얼마나 재밌는데!"
 아빠는 빙그레 웃으며 내 손을 잡았다.
 "우리 영희가 의정이를 무척이나 좋아하는가 보다. 하지만, 엄마가 왜 의정이와 놀지 못하게 하는지 이해하지? 엄마는 네가 혹시나 좋지 않은 행동을 배울까 봐 염려하는 거야. 의정이한테 좋은 점만 배우겠다고 약속하겠니?"

나는 고개를 끄덕였다. 의정이의 좋은 면만 배운다는 건 확신할 수 있었다. 부모님을 속인다는 어두운 마음이 조금은 환해졌다. 아빠와 헤어져서 의정이네 집으로 달려갔다. 툇마루에 앉은 의정이 모습이 훤히 들여다보였다.

"의정아!"

작은 목소리로 불렀는데도 금세 알아듣고 반가운 얼굴로 문을 열었다.

"왜 이리 늦었어? 언니가 새벽에 나간 뒤로 계속 너만 기다렸는데!"

엄마가 너랑 노는 걸 싫어한다고 차마 말할 수가 없었다. 그래서 밤에만 온다는 사실을 의정이는 짐작이나 할까. 문간방 아줌마도 출근했는지 텅 빈 집에서 내가 오기를 눈이 빠지게 기다렸을 의정이를 보니, 괜히 미안해졌다. 엄마한테 들키기 전에 어서 우리 동네를 벗어나야 할 것 같았다.

"빨리 가자. 해가 뜨거워지면 얼음이 녹을지도 몰라."

이층집을 지나가는데, 남은이가 대문을 열고 나왔다. 의정이가 귓속말로 속삭였다.

"우리 남은이 좀 곯려줄까?"

"어떻게?"

"이리 와봐."

의정이는 내 손을 잡고 남은이에게 다가갔다.

"우리 개천에 썰매 타러 가는데, 너도 가지 않을래?"

남은이는 어디를 가는 길이었는지 대답을 못 했다.

"하긴 넌 겁쟁이니까, 썰매 타는 게 무서우려나?"

남은이는 의정이가 자기를 비꼬는 걸 눈치채고 의외의 대답을 했다.

"개천이 어딘데?"

"뭐? 네가 썰매를 타겠다고!"

의정이가 버럭 소리를 질렀다. 남은이도 물러서지 않고 대답했다.

"응, 나도 갈래."

나는 의정이 팔을 뒤로 끌어당겼다. 의정이는 실실 웃으면서 뒷걸음을 쳤다.

"네가 진짜로 따라나설 줄은 몰랐는데? 농담이었어. 미안."

하지만, 어쩐 일인지 남은이의 표정은 평소와 달리 단호하기만 했다.

"걱정하지 마. 나 썰매 탈 줄 알아. 같이 가."

상상하지도 않았던 일이 벌어졌다. 개천으로 향하는 우리 뒤에서 한 걸음 정도 떨어져서 남은이가 따라왔다. 이쯤 되면 될 대로 되라 싶은 마음이 들었다. 에라, 모르겠다. 따라오려면 와. 코피나 쏟지 말고. 우리 셋은 서로 모르는 사람처럼 입을 꾹 다물고 앞만 보고 걸었다.

의정이 말마따나 개천은 스케이트장으로 써도 될 정도로 꽁꽁 얼어붙었다. 누군가 버리고 간 널빤지를 주웠다. 널빤지는 꽤 두툼했고, 썰매 손잡이로 사용할 줄도 달아났다. 우리 말고도 얼음 썰매를 타려는 사람이 또 있었나 보다.

"자, 그럼, 누가 먼저 탈까? 한 사람밖에 탈 수 없는데."

의정이가 묻자, 남은이가 불쑥 대답했다.

"공평하게 가위, 바위, 보로 정할까?"

갑자기 내 안의 마귀가 속삭이는 소리가 들렸다. 이상하게도 남은이만 보면 심술이 발동하는 마귀였다. 나는 대뜸 남은이의 말을 못 들은 척하고, 거만한 표정으로 선언했다.

"이 썰매는 의정이가 발견한 거니까, 우리가 먼저 탈 거야."

의정이가 눈을 동그랗게 뜨고 나를 쳐다봤다.

"그건 너무 심하지 않니? 그냥 같이 타는 게…."

나는 여왕이 신하에게 말하듯 턱을 치켜들고 남은이에게 명령했다.

"너는 혼자 미끄럼 연습하다가 우리가 부르면 타도록 해."

의정이가 눈살을 찌푸렸다. 하지만, 남은이는 불쾌한 기색 하나 없이 태연한 목소리로 대답했다.

"미끄럼 연습은 필요 없어. 저기 개천 가에 있을 테니까, 다 놀면 불러."

남은이는 손가락으로 시장 쪽 개천 가를 가리키더니, 그리로 걸어갔다. 의정이가 투덜거리듯 말했다.

"너무한 거 아냐? 여기까지 와서 혼자 놀라니."

나는 대답하지 않았다. 대신 썰매 줄을 의정이에게 내밀었다.

"내가 먼저 탈게."

의정이는 툴툴거리면서 썰매 줄을 잡았다. 처음에는 의정이가 썰매를 끌고, 다음에는 내가 끌면서 번갈아 가며 탔다. 개천 폭을 따라 이쪽에서 저쪽까지 한참을 타다 보니, 어느새 땀방울이 이마에 송알송알 맺혔다. 시계가 없어서 자세한 시간은 몰라도 점심 먹을 때가 된 것 같았다.

"배고파. 이제 집에 가자."

내가 숨을 몰아쉬며 말했다.

"너희 엄마가 개천까지 따라오진 않겠지?"

의정이의 대답에 화들짝 놀라고 말았다. 한 번도 말한 적 없는데, 설마 우리 엄마가 자기를 싫어하는 걸 눈치챈 걸까. 의정이는 어깨를 으쓱하더니, 내 눈을 피했다. 딴전을 피우듯이 남은이에게 시선을 돌리며 물었다.

"쟤 불러야 하지 않아?"

남은이는 개천가에 쪼그려 앉아서 얼음 위에 그림을 그리고 있었다. 우리가 다가온 줄도 모르고 막대기로 얼음을 긁어 사람을 그리는 데 열중했다.

"어쩜, 너 화가 같다! 너무 잘 그리는데!"

의정이가 감탄사를 연발하며 그림에서 눈을 떼지 못했다. 아닌 게 아니라, 막대기로 그린 얼굴이 진짜 입체적으로 보였다. 피아노만 잘 치는 게 아니라 그림에도 소질이 있다니, 별난 아이라는 내 생각은 틀린 게 아니었다. 나도 속으로 감탄했지만, 애써 무표정하게 있었다. 그림을 다 그렸는지 남은이가 벌떡 일어섰다.

"다 놀았으면, 이제 갈까?"

의정이는 더 놀고 싶은지 미적거렸다. 하긴 집에 가봤자 혼자일 테니, 여기서 더 놀고 싶은 게 당연했다. 하지만, 여기 있다가 엄마한테 들키면 나는 끝장이었다.

"너도 썰매 타야지. 우리가 끌어 줄게 타봐."

의정이가 인심 쓰듯 말했다. 남은이는 머뭇거렸다. 정말 답답한 아이였다. 나는 비쩍 마른 꺽다리인 남은이의 대답을 기다리느니, 그냥 한 번 타고 가는 게 빠를 것 같다는 생각이 들었다. 썰매 있는 쪽으로 발걸음을 옮기면서 남은이에게 내뱉었다.

"딱 한 번만이다."

"아냐. 그냥 가도 된다니까."

뒤에서 남은이의 목소리가 들렸지만, 이미 늦었다. 나는 화난 표정으로 성큼성큼 앞서 걸었고, 얼마 후 갈라진 얼음장 밑으로 빠져들었다. 순식간의 일이었다.

"아악!"

내 비명에 의정이도 소리를 지르며 뛰어오더니, 두 팔로 나를 끄집어내려고 안간힘을 썼다. 얼음판에 엎드려 내 팔을 잡느라 의정이의 옷도 흠뻑 젖어 버렸다.

"어떡해, 어떡해!"

구조에 진전이 없자, 의정이는 울먹였다. 갑자기 남은이가 썰매에 묶였던 밧줄을 풀더니 내게 던졌다.

"이거 꼭 잡아. 절대 놓지 마."

나는 허우적거리며 죽을힘을 다해 밧줄을 붙잡았다. 추위 따위는 죽음에 대한 공포에 비하면 아무것도 아니었다. 남은이는 밧줄을 팔에 감고 얼음 위에 납작 엎드렸다. 남은이가 엉금엉금 뒤로 물러나니까 내 몸이 잠깐 수면 위로 떠올랐다. 하지만, 말라깽이 남은이가 얼음 속에서 나를 꺼내기에는 역부족이었다. 나는 필사적으로 몸부림쳤고, 의정이는 내 팔을 절대 놓지 않았다. 남은이는 밧줄에 체중을 실어 당기느라 얼음판에서 데굴데굴 굴렀다. 우리 셋은 태어나서 처음으로 맛본 공포와 싸우면서 오직 하나의 목표에 집중했다. 그때였다. 어디선가 커다란 목소리가 울려 퍼졌다.

"너희들 거기서 뭐 하는 거야?"

마침 트럭을 몰고 시장 쪽으로 가던 아저씨가 멀리서 우리를 발견한 거였다. 트럭은 아까 남은이가 막대기로 그림 그리던 장소에 멈췄고, 아저씨 한 분이 소리 지르면서 뛰어왔다. 아저씨는 남은이가 붙잡은 밧줄을 같이 잡고 힘을 보탰다. 제자리에서 풍덩거리기만 했던 나는, 얼음 위로 쑥 들어 올려졌다. 아저씨는 나를 구출하고는 머리끝부터 발끝까지 훑어보았다. 그러고 보니, 어제 빨간 운동화를 샀던 신발 가게 사장님이었다. 아저씨는 트럭의 화물칸에서 신발 상자를 덮었던 커다란 담요를 가져오더니, 얼음물에 흠뻑 젖은 내 몸을 둘둘 말았다.

"이대로 지체했다가는 동상 걸리니까, 무조건 집으로 달려가야 한다. 아직 얼음 놀이하기는 이르니까, 다시는 여기서 얼씬거리지 말고. 너희들, 명심해, 알겠지?"

우리는 풀이 죽은 목소리로 '네.'라고 대답했다. 아저씨는 트럭을 타고 시장 쪽으로 사라졌다. 축축하게 젖은 옷 위에 무거운 담요까지 덮으니, 몸이 천근만근이었다. 하지만, 엄동설한의 칼바람에서 약간의 온기를 느끼게 해주었다. '이제는 살았구나' 하는 맘이 들자, 뒤늦게 울음이 터져 나왔다.

"왜 울어? 추워서 그래?"

의정이가 이를 딱딱 부딪치며 물었다. 남은이도 입술이 파랗게 질려서 덜덜 떨었다. 나는 몸을 감았던 담요를 풀어서 두 친구의 어깨에 덮었다. 우리 셋은 바짝 붙어서 담요 한 장으로 몸을 감싼 채 집을 향해 걷기 시작했다.

살을 에는 추위보다 엄마한테 혼날 걸 생각하니 발걸음이 무거웠다. 우리는 오들오들 떨면서 걸었다. 개천에서 집까지는 이십 분 정도 거리였지만, 한 시간도 더 지난 듯 멀게만 느껴졌다. 골목길에 접어들었을 때 동네에는 아이들이 없었다. 점심 먹을 때가 되면 동네는 한산해졌다. 제일 먼저 도착한 이층집으로 남은이가 들어갔고, 다음 순서가 우리 집이었다. 의정이는 나를 위로했다.

"엄마가 혼내시면 내가 편들어 줄게. 울지 마."

웬일인지 대문이 열려 있었다. 의정이와 함께 대청마루의 미닫이문 앞에 서자, 추위와는 다른 이유로 몸이 덜덜 떨려왔다. 크게 심호흡하고 나서 드르륵 문을 열었다. 마루에서 기저귀를 개던 엄마가 천천히 머리를 들었다. 엄마와 눈이 마주쳤을 때 참았던 울음이 터져 나왔다.

"엄마, 개천에서 썰매 타다가 얼음이 깨져서 물에 빠졌어, 엉엉."

실눈처럼 가느다란 엄마의 눈이 커지면서 나와 의정이를 번갈아 바라보았다. 그리고 상황을 파악했는지 눈꼬리가 점점 치켜 올라갔다. 얼마나 화가 났는지 한눈에 알 수 있었다. 엄마는 화가 많이 나면 오히려 차분했다. 그런 엄마가 천천히 몸을 일으켰다. 동생을 가졌을 적에 임신중독증에 걸렸던 엄마는, 아기를 낳고도 살이 빠지지 않았다. 엄마는 성큼성큼 다가오더니, 나를 대청마루로 잡아끌고는 문을 탁 닫아버렸다. 나는 아무 소리도 못 내고 엄마 팔에 대롱대롱 매달려 처분만 기다렸다. 엄마 말을 안 듣고 엄마가 그토록 싫어하는 의정이와 놀다가 사고까지 쳤으니, 무슨 할 말이 있겠는가. 그저 최대한 불쌍하게 보여 벌을 면하려고 슬픈 표정을 지었다.

당장 회초리를 가져와서 종아리를 때릴지도 모른다는 두

려움이 엄습했지만, 엄마는 소리를 지르지도 매를 들지도 않았다. 대신에 나를 욕실로 데려가 살얼음이 사각사각 속삭이는 옷을 벗기고는 따뜻한 물을 받았다. 나를 욕조에 밀어 넣은 엄마는 젖은 옷가지를 들고 나갔다. 따스한 물에 온몸이 잠기자, 몽롱한 가운데 까맣게 잊었던 의정이가 떠올랐다.

'곧장 집에 갔을까? 효정 언니가 집에 있다면 좋을 텐데. 지금쯤 나처럼 따뜻한 목욕물에 들어가 있겠지. 이제는 엄마가 자길 얼마나 싫어하는지 알았을 텐데, 앞으로 어떻게 본담?'

이제 의정이와 노는 걸 엄마는 예전보다 더 싫어할 텐데, 밤에 나가는 것도 그만둬야 한다는 생각에 목이 메었다. 그런데도 감히 엄마한테 어떻게 꽁꽁 얼어붙은 의정이를 내쫓을 수 있느냐고 따질 엄두가 나지 않았다. 무력감에 허우적거리다가 그대로 욕조 안에서 잠이 들었다.

다시 눈을 떴을 때는 내 방이었다. 두꺼운 내복을 입고 뽀송뽀송한 솜이불을 덮은 채 누워 있었다. 한밤중이었다. 집안은 고요했다. 이렇게 편한 잠을 자고 있을 때가 아니었다. 웬일인지 의정이네 집에 가야 한다는 생각만이 머릿속에 맴돌았다. 나는 서둘러 옷을 입고 밖으로 나왔다. 아버지 등산화가 놓여 있는 걸 보니, 식구들은 모두 잠든 게 분명했다.

'이번이 마지막이야.'

오늘 밤이 마지막 탈출이라고 굳게 다짐하면서 집을 빠져나왔다. 의정이네 집에 도착했을 때 매일 밤 툇마루에서 나를 기다리던 의정이가 보이지 않았다.

'역시 화가 난 게 분명해. 자기를 쫓아내는 엄마한테 아무 소리도 못 하는 나를 원망했겠지. 의정이는 내 편을 들어주려고 우리 집에 온 건데, 나는 의정이 편이 되지 못했어.'

어깨가 축 처진 채 힘없이 돌아섰다. 몸 어딘가가 자꾸 떨렸다. 콧물이 흐르고 기침도 나왔다.

'오늘 사과하지 않으면 언제 또 시간이 있겠어. 잘만 얘기하면 화를 풀지도 몰라.'

"의정아! 의정아!"

대담하게 몇 번이나 불러 봤지만, 의정이는 나오지 않았다. 대문은 굳게 잠겼고, 방 불도 꺼져 있었다. 문간방 불도 꺼져 있었다. 다들 깊이 잠들었네. 의정이도, 효정 언니도, 아주머니도. 집으로 돌아오면서 눈물을 하염없이 흘렸다. 나를 구하기 위해 얼음판에서 팔을 잡아당기던 의정이, 빙판에 엎드려 썰매 줄을 당기던 남은이, 낮에 본 장면이 영화처럼 머리에서 떠나지 않고 맴돌았다.

'참, 남은이는? 몸이 약한데, 별일 없을까?'

코피를 자주 쏟던 남은이가 생각나자, 숨이 턱 막혀왔다. 숨을 쉬기가 불편해졌다. 더는 머릿속에 생각을 담기가 괴로워서 머리를 마구 흔들었다.

집 앞에서는 아빠가 서성이고 있었다. 내가 나가는 인기척을 듣고 잠에서 깬 것 같았다. 아빠 앞에 우뚝 섰을 때, 아빠의 표정이 이상했다. 나는 정신을 잃고 아빠의 품에 쓰러지고 말았다.

***

일주일 만에 학교에 갔을 때 남은이가 벌떡 일어나 내게로 왔다. 언제부터였을까. 그러고 보니, 내가 남은이를 포기하고 투명 인간 취급한 뒤로 언제나 남은이 쪽에서 먼저 다가왔다는 사실을 깨달았다.

"야, 짝꿍! 너 무사하구나! 약골이라서 병원에 입원이라도 한 줄 알았지."

눈을 흘기며 어깨를 툭 치자, 남은이는 아픈 시늉을 하면서 한 손으로 어깨를 감쌌다.

"난 겨우 하루 결석했는데, 넌 일주일만이야. 약골은 내가 아니라 너 아닌가?"

남은이는 처음으로 나에게 농담을 던졌다. 우리는 서로를 마주 보았다. 얼음판에서 공포에 맞서 함께 싸운 뒤로 우리는 자연스럽게 친구가 되어 있었다.

"남은아, 의정이 봤어? 의정이는 어때?"

남은이는 내 눈을 피하더니 대답하지 못하고 머뭇거렸다. 이때 담임선생님이 교실 문을 열고 들어오셨다. 우리는 서둘러 자리에 앉아 교과서를 꺼냈다. 남은이가 내 손에 엽서 두 장을 건넸다. 자세히 보니 직접 만든 그림엽서였다. 첫 번째 그림은 우리 셋이 빙판 위에서 사투를 벌이는 장면이었다. 의정이는 내 팔을 붙잡고, 나는 한 손은 빙판에 다른 한 손은 밧줄을 붙들고, 남은이는 빙판에 엎드려 밧줄을 당기는 장면. 우리 셋이 일심동체가 된 모습이었다. 이제야 비로소 공포가 아닌 미소가 떠올랐다. 다음 엽서의 그림은 의외였다.

"의정이네! 맞지?"

남은이가 고개를 끄덕였다.

"그런데, 왜 의정이가 별이야? 별님 속에 의정이가 있네?"

웃으며 남은이를 바라봤지만, 돌아오는 대답은 없었다. 나는 두 장의 그림엽서를 소중하게 가방에 넣었다. 내 방에 있는 보물 상자에 평생 간직하겠다고 다짐하면서.

쉬는 시간에 남은이와 함께 4학년 교실로 올라갔다. 4학년 5반 교실에서 의정이를 찾아 두리번거렸지만 보이지 않았다. 내가 교실에서 나오는 누군가에게 다가가려던 순간, 남은이가 내 손을 잡고 의정이 자리로 이끌었다. 책상 위에는 국화 한 송이가 놓여 있었다.

"이게 뭐야? 의정이는 어딨어?"

나는 남은이를 흔들면서 혼란스럽게 물었다.

"심장마비로 일주일 전에 집에서 쓰러졌대. 우리가 개천에서 돌아온 날이었나 봐. 집이 비어 있어서 효정 누나가 돌아왔을 때는 이미…."

남은이는 입술을 깨물며 말을 잇지 못했다.

항상 의정이 집에 가던 깊은 밤이었다. 이제는 의정이도 없고 의정이 가족도 부산으로 떠나버렸다. 밤하늘을 올려다보았다. 별이 총총히 빛났다.

"높은 하늘 위에 별 두 개가 울고 있어요. 밤이 되어서 두 별은 헤어져야 한대요.

얘 잘 가. 얘 잘 있어. 인사합니다."

나지막이 노래 부르는데, 뺨을 타고 눈물이 흘러내렸다. 남은이가 그린 엽서처럼 의정이는 별이 되었을까.

"높은 하늘 위에…."

목이 메었다. 가슴을 움켜쥐고 감정을 추스르는데, 엄마가 안방에서 나왔다.

"추운데 왜 그럭하고 있니? 얼른 들어가서 자."

나는 대답하지 않고, 계속해서 노래를 불렀다.

"별 두 개가 울고 있어요. 밤이 되어서 두 별은 헤어져야 한대요."

엄마는 내 팔을 잡고 끌어당겼다.

"그만 일어나지 못해? 얘가 한밤중에 노래까지 부르고, 왜 이러니, 도대체?"

"얘 잘 가. 얘 잘 있어. 인사합니다."

"너 또 쓰러지려고 그래? 이러다간 큰 병 걸려!"

나는 엄마의 손을 뿌리쳤다. 엄마는 화도 못 내고 우두커니 서 있었다. 엄마를 차가운 마루에 남겨두고, 유령처럼 소리 없이 내 방으로 들어왔다. 별빛이 창문으로 쏟아져 들어왔다. 창문을 열자, 무수한 별들 가운데 별 하나가 유독 눈에 띄었다. 저 별이 의정이일까. 나는 창밖으로 몸을 내밀고 힘껏 손을 흔들었다.

"얘, 잘 가!"

그 별이 나에게 깜빡깜빡 손을 흔들며 말했다.

"얘, 잘 있어!"

제4화 나를 강하게 하는 너

***

춘삼월이라고는 하지만, 아침 등굣길에는 두꺼운 패딩을 입은 학생들이 입김을 뿜으면서 교문을 들어서고 있었다. 조응달이 보안관실을 지나가는데, 유 보안관이 허겁지겁 나와서 불렀다.

"저, 선생님, 잠깐만요! 이것 좀 봐주시겠어요?"

조응달은 호주머니에 찔러 넣었던 손을 빼서, 유 보안관이 내미는 휴대전화의 동영상을 눈앞에 가져갔다. 이혁신이 운동장으로 뛰어가면서 '알나리깔나리, 나 잡아봐라!'하고 누군가를 놀리고 있었다.

"얘가 누구한테 이러는 거예요?"

응달은 휴대 전화를 유 보안관에게 넘기며 머쓱한 표정을 지었다. 물으나 마나였다. '너 잡히기만 해 봐. 내 가만안 놔둘 테니까!' 하고 이를 갈면서 촬영하는 사람은, 보나마나 유 보안관이었다.

"며칠 전에 얘가 사고 치는 장면을 찍어서 선생님께 보여드렸잖아요? 그게 불만이었는지, 어제 방과 후에 보안관실 벽에다 대고 요란하게 공을 차는 거예요. 쿵 쿵 쿵. 잡으려고 나왔더니, 이렇게 운동장으로 도망가면서 반말을 지껄이더군요. 아이답지 않게 거만하고 개차반으로 행동하는데, 얘가 어딜 봐서 열 살짜리예요? 깡패나 다름없지, 원!"

유 보안관은 어지간히 약이 올랐던지, 말하면서 점점 목청이 높아졌다. 응달은 쓸쓸한 미소를 머금을 뿐 대꾸할 말이 떠오르지 않았다. 새 학년을 담임한 지 겨우 한 달 됐는데, 이혁신을 생각하면 머리가 지끈 아팠다.

***

학생들을 보내고 교실에 혼자 있는데, 문이 드르륵 열리며 구릿빛 살결의 여인이 들어왔다. 이혁신의 어머니 양미자였다. 거침없는 발길로 다가오는 미자를 보고, 응달은 내심 놀랐다. 교육비 무상 지원을 받는 가정이라 형편이 어려울 게 뻔한데, 외모가 지나치게 화려했다. 이십 대처럼 노랗게 물들인 머리카락, 눈에 띄는 금빛 장신구들이 광채를 발했다. 게다가 가슴골이 훤히 들여다뵈는 티셔츠는 눈을 어디에 둘지 모를 지경이었다. 애초에 미자를 호출할 적에 응달의 계획은 이랬다. 어려운 형편에 아들을 키우는 어머니를 포용하는 따스한 분위기를 연출한 다음, 최근 유 보안관을 향해 버릇없이 군 사실과 교실에서 제멋대로 행동하는 점을 털어놓고, 함께 해결해 나가자고 공감대를 끌어낼 요량이었다. 하지만, 미자는 남의 말을 진득하게 듣는 스타일이 아니었다. 응달이 생활지도 상의 어려움을 몇 마디 꺼내기가 무섭게 모든 사정을 알고 있다면서, 투수가 공을 던지듯 일방적으로 자기 말만 늘어놓았다.

"무슨 말씀하시는지 알겠어요. 그런데, 요즘 저희 형편이 좀 그래요. 혁신이 아빠가 몇 년 전에 허리를 다쳐서 화물 배달 일을 그만뒀어요. 저라도 돈을 벌어보려고 요 앞 시장에다 빈대떡 가게를 차렸는데, 엎친 데 덮친 격으로, 미성년자한테 술을 팔았다고 영업 정지를 먹었어요."

미자는 여기까지 말하고는 얼굴이 일그러졌다. 갑자기 머리카락을 양손으로 움켜쥐더니, 응달의 책상에 팔꿈치를 대고 고개를 푹 숙였다. 응달은 그녀가 감정을 추스를 때까지 기다리자고 생각하면서, 이삼 초간 시선을 창밖으로 돌렸다. 꽃샘바람이 목련 나무를 붙잡고 사납게 흔들고 있었다. 뽀송뽀송한 겨울눈에 보호받았던 꽃봉오리들이 연보랏빛으로 피어올랐다. 세찬 바람결에 창문이 한 번 덜컹거리자, 미자가 침묵을 깨고 말했다.

"형편이 이 지경인데도, 아이들만은 기죽이지 않으려고, 애지중지 키웠어요. 그런데! 학교에서는! 우리 애를 혼내고! 꾸짖고! 닦달하니까! 애가 도대체, 숨이나 제대로 쉬겠어요? 별것도 아닌 걸 갖고, 사사건건 혼내는데?"

미자가 고개를 들자, 충혈된 눈자위에 눈물이 그렁그렁 고였다. 난감한 상황임을 직감한 응달은, 침을 꼴깍 삼켰다. 한발 물러서서 위로의 언어를 날리느냐, 강하게 상담을 밀어붙이느냐, 양자택일의 순간이었다. 응달은 애초의 목적대로 순조롭게 상담이 마무리돼서, 골머리를 앓게 하는 제자의 생활지도에 학부모가 협조해 주길 바랐다.

"어머니 말씀마따나 학교에서 혼날 일이라는 게 큰일은 없고, 다 자잘하지요. 교실에서 뛰다 혼나고, 숙제 안 해와서 혼나고, 싸워서 혼나고. 혁신이 경우엔 그 횟수가 많아서 탈이지만, 그렇게 혼나면서 규칙을 배우고 사회생활을 잘하게 되는 법이지요."

응달이 유순하게 말했지만, 미자는 못마땅한 얼굴로 의자에 등을 세우더니, 고개를 세차게 저었다.

"아니요! 절대! 혼내서 해결될 문제가 아니에요. 오늘부터 혁신이 생활지도는 제가 할 테니까, 선생님은 혼내지 마세요. 어제 일만 해도 그래요. 그깟 하찮은 일로 반성문을 쓰게 해서, 우리 애가 팔이 아프다고 끙끙 앓더라고요! 이제부터 우리 아들은 우리가 책임질 테니, 선생님은 어떠한 벌도 주지 않겠다고, 약속해 주시겠어요?"

응달은 어쩔 줄 모르는 소심한 눈으로 미자를 바라보았다. 사고뭉치인 혁신의 잘못을 지적도 안 하고 그냥 넘긴다면, 교육자로서 직무 유기였다. 그러나 한편으로 생각해 보자면, 학부모의 이런 요구도 교육 주체로서 제기할 수 있는 권리였다. 학생인권조례가 발효된 후 벌점이나 반성문을 부여했다가 아동학대로 고소당하는 교사가 비일비재했다. 더군다나 이렇게 대놓고 요구하는 학부모의 소리를 무시했다간, 엄청난 후환이 닥쳐올 게 뻔했다. 이혁신이 누군가. 경찰관으로 정년퇴직한 유 보안관도 혀를 내두르는 문제아가 아니던가. 어차피 반성문 몇 번 쓴다고 금방 달라질 애도 아닌데, 사람 만들겠다고 안간힘쓰다 고소라도 당하면, 그동안 쏟은 노력은 물거품이고, 남은 건 몹쓸 교사라는 낙인뿐이다. 여기까지 생각이 미치자, 응달은 자기도 모르게 고개를 두 번 끄덕거렸다. 응달은 자리에서 일어나며 상담 종료를 알렸다.

"바쁘신데 와 주셔서 감사합니다. 그럼, 앞으로 혁신이를 지도해야 하는 문제가 생기면 문자로 알려드릴 테니, 그때마다 가정에서 훈계해 주십시오."

미자는 그러기로 약속하고 돌아갔다. 그날 이후로 응달은 어떠한 잘못에도 혁신을 꾸짖지 않았다. 혁신의 생활지도 일체를 미자에게 맡기게 되었다.

***

이혁신은 난감해졌다. 무슨 짓을 해도 혼나지 않았고, 심지어 잘못할 때마다 눈길을 돌리는 선생님의 행동이 이해가가지 않았다. 2학년 때 담임은 조금만 잘못해도 길길이 날뛰면서 고래고래 소리 질렀다. 더군다나 요즘 보안관 아저씨도 자기만 보이면 얼른 고개를 돌려서 도통 놀리는 재미가 없었다. 잡아먹을 듯이 달려들고 쫓아와야지 신바람이나서 장난을 칠 텐데 말이다. 선생님은 자기가 무언가 장난친 날이면, 엄마의 휴대전화에 시시콜콜한 문자를 보냈다. 하지만, 응달의 문자는 어떠한 효력도 없었다. 미자는 문자를 빠짐없이 읽기는 하지만, 꾸중하거나 교육적인 잔소리를 하지 않았다. 혁신이 무슨 짓을 하든, 아무 일도 일어나지 않았다.

'왜 다들 나한테 무관심하지? 도대체 어떤 짓을 해야 나를 봐줄까?'

언제부턴가 혁신은 밤에도 잠 못 이루고 뒤척이면서, 응달의 관심을 자기한테 돌려줄 만한 장난이 무언지 궁리했다.

어느 날 혁신은 1교시 수업 시간에 교과서를 꺼내지 않았다. 응달은 그런 혁신을 흘낏 봤지만, 못 본 척했다. 2교시가 되자, 혁신은 책상에 발을 올려놓았다. 그래도 응달은 못 본 척했다. 점심시간이 되었다. 응달이 반 아이들 줄을 세워서 급식실로 데려갔다. 혁신은 줄을 서는 척하다가 책상 밑으로 몸을 숨겼다. 그런 줄도 모르고, 응달은 서른 명의 제자를 이끌고 급식실로 갔다. 빈 교실에 홀로 남은 혁신은, 맨 앞 책상을 힘껏 찼다. 책상과 의자가 뒤로 쓰러지면서 도미노처럼 뒤의 책걸상을 쓰러뜨렸다. 간혹 버티는 책상이나 걸상은, 달려가서 발로 차서 넘어뜨렸다. 응달이 급식지도를 끝내고 교실로 돌아오자, 교실은 아수라장이었다. 응달은 냉큼 마음속으로 '참을 인(忍)'을 세 번 외쳤다. 그런 후에야 화가 가라앉은 그는, 혁신에게 다가갔다. 혁신은 가슴을 내밀면서 배짱 있게 맞섰다. 그런데, 응달의 입에서 나온 말은 꾸중이 아니라 염려였다.

"너 점심 굶으면 키 안 크니까, 지금이라도 가서 먹고 오너라."

응달은 나머지 아이들을 향해 차분한 목소리로 지시했다.

"여러분, 책상이 쓰러졌네요. 모두 자기의 책상을 똑바로 세우세요. 그리고, 5교시 수업을 준비하세요."

배가 고팠던 혁신은 급식실로 달려갔다. 5교시 수업이 시작되고 급식실에서 돌아온 혁신은, 찌푸린 얼굴로 교과서를 꺼냈다. 응달은 속으로 쾌재를 불렀다.

'역시 무관심이 효과가 있구나! 잘못된 행동에 일일이 반응하면 부정적 행동이 강화될 확률이 높아. 이렇게 잘한 행동했을 때 칭찬을 건네야 긍정적 행동이 강화될 거야.'

응달은 흐뭇한 미소를 지으며, 반 아이들 전체에게 들리도록 큰 소리로 말했다.

"야, 우리 혁신이 교과서 꺼내고 반듯하게 앉은 모습 보니까, 모범생이 따로 없구나! 그래, 지금처럼 성실한 모습으로 생활하다 보면, 더욱 멋진 혁신이가 될 거야!"

응달이 혁신의 어깨를 두드리자, 혁신은 기뻐하기는커녕 씁쓸한 표정을 지었다.

'이것 봐라. 내가 책걸상 쓰러뜨린 건 모른 척하더니, 교과서 하나 꺼냈다고 이러다니, 그동안 담임이 날 갖고 논 거야? 흥, 두고 보라지. 내가 어떻게 하나.'

뿔이 난 혁신은 그대로 교과서를 책상 서랍에 쑤셔 박았다. 응달은 칭찬을 거부하는 혁신이 어이가 없었지만, 부정적 행동에는 즉시 무관심으로 일관했다. 그러면서 내심 괘씸하기 짝이 없었다. 점심시간에 몰래 교실에 숨었다가 책걸상을 모조리 쓰러뜨린 일까지 떠오르자, 혁신이 꼴도 보기 싫었다. 그때 혁신이 능글맞은 웃음을 만면에 띠더니, 양다리를 책상에 올려놓는 게 아닌가. 응달은 교탁으로 가서 제자들에게 말했다.

"그럼, 120쪽에 있는 문제를 풀어보도록 하세요."

아이들은 연필을 들고 교과서에다 답을 쓰기 시작했다. 혁신 혼자만 양발을 까딱이면서 응달의 반응을 주시하고 있었다. 응달은 더 참지 못하고 곧장 혁신의 자리로 가서, 손바닥으로 혁신의 다리를 후려쳤다. 까딱거리던 두 발은 이내 책상 밑으로 곤두박질쳤다. 혁신은 적이 놀라서 입을 쩍 벌렸다. 응달은 그대로 교탁으로 가서 120쪽의 답을 맞혀주고 수업이 끝났음을 선언했다. 학생들이 일제히 가방을 싸서 집에 갈 준비에 한창일 때, 혁신이 빠른 걸음으로 응달에게 다가왔다. 혁신이 응달의 귓가에 무슨 말을 하려고 하자, 응달이 혁신 쪽으로 허리를 구부렸다.

"흥, 선생 같지도 않은 게!"

응달의 귀에 혁신의 비난이 파고들었다. 교사 생활을 구년째하고 있지만, 제자에게 이런 수모를 겪은 적은 없었다. 응달이 얼떨떨한 표정으로 바라보자, 그제야 승리감에 도취한 혁신이 빙그레 웃었다. 응달은 금방이라도 저 어린것의 뺨을 후려칠지도 모를 자신을 억제하려고, 이를 악물었다. 그리고 바지에서 휴대전화를 꺼내어 미자에게 문자를 날렸다.

'어머니, 혁신이가 책상에 발을 올려놓아서 내리게 했더니, 저에게 '선생 같지도 않다' 고 말했습니다. 가정에서 올바른 언어 지도를 해주세요.'

미자의 답신이 즉시 도착했다.

'그리하겠습니다, 선생님.'

응달은 비로소 악물었던 이를 풀고, 평소대로 학생들의 하교 지도를 했다.

***

다음날이었다. 쉬는 시간이 끝났는데도 혁신이 교실에 들어오지 않았다.

"이혁신 본 사람 있니?"

응달이 묻자, 구석에 엎드렸던 무력이 몸을 일으키고 손을 번쩍 들었다.

"김무력, 네가 봤어?"

"네, 아까 체육관 쪽으로 가는 걸 봤어요. 제가 데려올게요."

"그래 주겠니?"

무력은 벌떡 일어서더니, 신난 얼굴로 나갔다. 응달은 무력의 뒷모습을 바라보면서, 별일도 다 있다고 생각했다. 처음 만났던 날부터 오늘까지 일관되게, 무력은 힘없이 구석에 찌그러져 있었다. 여간해서는 자발적으로 의견을 말하는 법이 없었는데, 웬일로 혁신의 일에는 발 벗고 나선 것이다.

무력은 교실에서 나와 체육관으로 곧장 갔다. 역시나 혁신은 혼자서 체육관 벽에다 공을 차고 있었다. 체육관 자료실 문은 평소에 굳게 잠겨서, 선생님 허락을 받은 사람만이 열쇠로 열 수 있었다. 그러다 보니, 혁신은 자료실의 공을 사용하지 못하고, 언젠가 길에서 주운 축구공을 매트 더미에 숨겨 놨다가, 가끔 꺼내서 놀았다. 축구공은 누더기처럼 남루했지만, 공차기는 그럭저럭 할만했다. 그걸 우연히 목격한 무력은, 아무한테도 소문내지 않고 혁신의 비밀을 간직했다.

혁신이 고개를 돌려 무력을 쳐다보았다. 무력이 한쪽 손을 들어 인사했다. 혁신은 화답 대신 다시 공을 뻥 찼다. 무력은 말없이 다가가서 혁신이 공놀이하는 걸 지켜보았다. 그렇게 십 분, 이십 분이 흐르자, 혁신은 차던 공을 발로 멈추고, 무력에게 말을 걸었다.
"무슨 일로 왔어? 용건이 있으면 말해."
무력은 씩 웃으며 대답했다.
"선생님이 너 데려오라고 하셨어."
"내가 여기 있는 건 어떻게 알았니?"
무력은 다시 씩 웃으며 대답했다.
"아침 자습 시간에 네가 여기서 공 차는 걸 본 적이 있었어. 나도 같이하자고 말하고 싶었는데, 네가 싫다고 할 거 같아서 말하지 못했어."
"그래? 다음엔 같이 하자."

혁신이 무뚝뚝하게 말하자, 무력은 앞니가 다 드러나도록 입을 크게 벌리고 좋아했다.

"정말? 그럼, 내일은 우리 집에서 새로 산 공을 가져올 게."

"너희 엄마가 허락할까?"

혁신이 무력을 바라보면서 의심스럽게 묻자, 무력은 다시 씩 웃었다.

"그건 걱정하지 마. 몰래 가져오면 돼. 우리 집에는 축구 하는 사람이 없으니까, 공이 없어진 줄도 모를걸."

혁신은 무력이 이렇게 잘 웃는 아이였나, 고개를 갸웃했다. 교실에서 무력의 얼굴을 거의 본 적이 없었다. 말을 나눈 적도 없었다. 그런데도, 마치 오랜 친구처럼 자연스럽게 대화하다니, 신기하고 낯선 일이었다. 무력이 혁신의 눈치를 살피면서 말했다.

"공 다 찼으면, 교실로 갈래?"

"그래."

대답과 동시에 혁신은 공을 매트 더미 쪽으로 걷어찼다. 남루한 축구공은 매트 더미를 쌓아놓은 밑바닥 공간에 정확하게 꽂혔다.

응달은 교실 벽에 달린 시계를 힐끗 쳐다보았다. 수업이 끝나갈 무렵에서야, 무력이 혁신의 손을 잡고 교실로 돌아왔다.

"지금까지 체육관에서 뭐 했니?"

응달이 묻자, 혁신이 심드렁하게 대답했다.

"노느라고 종 치는 소리를 못 들었어요."

"혼자서 뭐 하고 놀다가 종 소릴 못 들어? 무력이 넌, 혁신이 데리러 간 게 언젠데, 이제 와?"

응달이 비난하는 눈초리로 묻자, 혁신과 무력은 능글맞게 눈웃음치면서 대답을 피했다.

"쯧쯧, 둘이 같이 놀다가 온 게로군. 잘났다, 잘났어!"

응달이 정곡을 찌르자, 혁신도 웃고, 무력도 웃었다. 응달은 한숨을 쉬면서 두 아이에게 자리로 돌아가라고 손짓했다.

그날부터 무슨 연고인지 혁신과 무력은 단짝이 되었다. 어디를 가든 같이 갔고, 사고를 쳐도 같이 쳤다. 응달의 고민은 두 배로 깊어졌다. 혁신은 원래 강골이었지만, 얌전하다 못해 무기력했던 무력이 악동으로 변해가는 모습은, 기가 찼다.

그렇게 봄과 여름이 가고, 가을이 왔다.

***

어른들이 간섭하지 않으면서 혁신의 반사회성은 극으로 치달았다. 반 아이들은 난폭한 혁신을 상대하지 않았고, 무력만이 충심으로 혁신의 곁을 지켰다. 무력은 육체적으로나 정신적으로나 약해빠진 자기와 달리, 주먹이 세고 당당한 혁신에게 압도당했다. 한편, 혁신이 무력을 대하는 태도는 달랐다. 혁신도 무력과 함께 있는 게 좋았지만, 맘속을 터놓기에는 부족함을 느꼈다. 혁신의 생각에 무력은 자기보다 열 곱절 부자였고, 부모님은 사업으로 바쁜 와중에도 무력에게 상냥했다. 혁신은 자기가 무력과 다르다고 어렴풋이 느꼈다. 자기는 부모의 사랑은커녕 천대받는 자식이라고 느꼈다.

응달의 인내심에 서서히 한계가 왔다. 그동안은 줄곧 혁신의 문제 행동에 눈감고 못 본 체한 다음 미자에게 문자만 날렸다. 혁신의 품행 문제는 응달이 아닌 미자의 소관이었다. 미자가 혁신을 책임진다고 호언장담했으니, 잘하든 못하든 알아서 할 노릇이었다. 그런데, 요즘 혁신의 몸에 이상한 증상이 왔다. 갑자기 몸을 부들부들 떨거나 침을 질질흘렸다. 집에 가기 싫다고 바닥에 누워 떼를 쓰는 날도 있었다. 응달은 미자에게 아들을 병원에 데려가라고 권유했다. 미자는 혁신에게 아무런 이상이 없다고, 심지어 병원에서는약도 주지 않았다고 했다. 시간이 흐를수록 혁신은 난폭해졌고, 짜증과 분노를 폭발할 대상을 물색하느라 교내를 쏘다녔다.

겨울의 문턱에 선 11월의 어느 날이었다. 점심시간에 혁신과 무력이 사라졌다. 4학년의 어느 반에서도 몇몇 아이가사라졌다. 일의 발단은 이랬다. 혁신과 무력이 점심을 빨리먹고, 공을 차려고 체육관에 갔더니, 4학년 몇 명이 뛰놀고있었다. 두 악동은 4학년 형들을 괴롭히고 싶어졌다. 즉시체육관 문을 잠그고, 신발주머니로 형들의 머리를 사정없이내리쳤다. 얼마나 호되게 맞았던지 4학년 형들은 엉엉 울었고, 그 반의 담임인 젊은 여선생이 응달에게 장문의 편지를보내왔다. 응달은 남몰래 그 여선생을 흠모했던 지라, 원성으로 가득 찬 편지는 가슴에 큰 상처를 남겼다. 노총각 담임의 연애를 돕지는 못할망정 이런 편지나 받게 하다니, 두 악동의 행동에 부아가 났다.

응달은 5교시가 시작되자마자 두 악동을 불러 나무랐다. 그나마 무력은 뉘우치는 기색을 보였지만, 혁신은 반성하는 빛을 보이지 않았다. 응달은 교탁에 있던 책들을 혁신이 서 있는 바닥에 내던지면서 고래고래 소리 질렀다. 밀림의 왕 사자의 포효 소리 같았다. 제자들은 그런 응달의 모습에 경기를 일으켰다. 한 번도 분노를 표출한 적이 없었던 응달이, 참고 참았던 울분을 터뜨리자, 교실은 충격의 도가니에 휩싸였다. 그런 와중에 혁신은 그대로 가방을 싸서 집으로 도망쳐 버렸다.

혁신이 집으로 가버리자, 응달은 비로소 분노에서 깨어나 정신을 차렸다. 큰일이었다. 혁신의 집에서 당장 전화할 줄 알았는데, 의외로 연락이 없었다. 불안한 마음을 억누르면서 퇴근한 응달은, 꿈속까지 미자가 쫓아와서 '조응달, 당신을 아동학대로 고소하겠어!'라고 삿대질하는 악몽에 시달렸다.

다음날 무거운 발걸음으로 출근하는 응달을 유 보안관이 불렀다.
"어제 이혁신이랑 또 누구더라? 김무력? 그 둘이 사고 쳤다면서요? 요즘은 김무력이 이혁신과 한패가 된 모양이네요."
"예, 그렇지요."
"쯧쯧, 선생님이 애쓰시네요. 녀석들, 참, 언제나 사람이 될는지!"

유 보안관의 염려를 뒤로하고, 교실로 들어온 응달의 표정이 어두웠다. 아들이 수업 도중에 집으로 돌아갔는데도 이렇게 잠잠하다니, 대체 무슨 꿍꿍이일까? 그 답은 명료했다. 혁신의 부모는 일찌감치 집으로 돌아온 아들의 심정을 귀 기울여 들어주지 않았다. 오히려 학교에 적응하지 못하는 아들을 두들겨 패기까지 했다.

1교시를 마치는 종이 울리자, 혁신이 제 발로 응달에게 와서 하소연했다.
"선생님, 제 몸 좀 보세요. 우리 아빠가 이랬어요."
혁신은 응달의 앞에서 웃옷을 올려서 속살을 보여주고, 바짓단을 올려서 정강이를 보여주고, 허리춤을 내려서 허벅지를 보여주었다. 혁신의 몸은 피멍투성이였다.
"우리 아빠 좀 경찰에 신고해 주세요. 어제 죽었다 살아났어요."
혁신은 어지간히 억울했던지, 자기 아빠를 신고해 달라고 호소했다. 응달은 당장 학교행동강령 책임자인 교감의 내선 번호를 눌렀다.
"교감선생님, 이혁신이 아버지한테 피멍이 들도록 얻어맞았습니다. 규정에는, 교사가 폭력을 인지한 즉시 경찰서에 신고하라고 하는데, 신고할까요?"
그러나, 교감의 의견은 달랐다.
"이 사실은 우리 둘 다 모르는 걸로 합시다."
"예?"
"혁신이 걔가 좀 별나야지. 부모가 버릇을 가르치려고 그런 모양인데, 이번 사건은 그냥 덮고, 다음에 또 같은 사건이 터지면, 그때 가서 얘기합시다."

교감과의 전화를 끊었지만, 어째 찜찜하고 후련하지 않았다. 응달은 이 문제를 해결해 줄 사람이 누굴까 골머리를 앓다가, 결국 생각난 사람이 미자였다.

"어머니, 저 담임입니다. 오늘 보니까, 혁신이 몸이 멍투성이네요. 혁신이 말대로 아버님이 때리신 게 맞나요?"

응달이 빼도 박도 못할 폭력의 증거를 들이밀자, 미자는 순순히 인정했다.

"네, 선생님. 혁신이가 하도 문제를 일으키니까, 남편이 화를 참지 못하고 목검으로 때렸어요. 도대체 애를 어떻게 해야 할지 모르겠어요. 이러다가 우리 혁신이 맞아 죽겠어요. 그 반성문이라는 거, 이제부터라도 쓰게 할까요? 그러면, 애 버릇이 고쳐질까요? 우리 애가 앞으로 또 어떻게 변할지, 너무 무서워요. 내 자식인데도 남의 자식처럼, 잘 모르겠어요. 우리 혁신이, 오늘부터는 잘못할 때마다 선생님이 혼내 주세요. 반성문도 꼭 쓰게 해주세요. 제발요!"

종업식이 겨우 한 달 남았을 무렵에서야, 미자는 아들의 생활지도를 응달이 전적으로 떠맡으라고 필사적으로 매달렸다.

***

겨울 방학을 일주일 앞두고 무력이 혁신의 손을 잡고 교탁으로 나왔다.

"선생님, 소원 하나만 들어주세요."

"무슨 소원인데?"

응달이 묻자, 무력은 혁신과 깍지 낀 손을 끌어 올리면서 대답했다.

"방학식 날까지 우리 둘이 짝하게 해주세요. 우리 둘이 한 번도 짝을 해본 적이 없어요."

응달은 속으로 빙그레 웃었다.

'그야, 너희 둘을 같이 앉혔다가는 수업 분위기를 엉망으로 망쳐놓을 테니까, 내가 부러 떨어뜨려 놓았지.'

응달은 무력을 보면서 참 신기하다고 생각했다. 다른 아이들은 혁신과 거리를 두려고 애쓰는데, 무력만은 어떻게 한결같이 혁신을 좋아할 수 있는지, 그 비결이 궁금했다.

"무력아, 넌 혁신이 어디가 그렇게도 좋니?"

무력은 망설이지 않고 대답했다.

"그냥 다 좋아요. 우선, 혁신이는 우리 반에서 제일 남자답잖아요. 지금 엄마 배 속에 제 동생이 있거든요. 동생을 낳으면 이름을 혁신이라고 지어달랬어요, 김혁신이요. 엄마가 이혁신처럼 멋진 동생을 낳았으면 좋겠어요."

하긴, 3학년이 끝나가는 마당에 일주일 정도는 같이 붙여놔도 별일 없으리라. 응달은 해맑게 웃는 무력의 소원을 들어주었다. 겨울 방학식 날까지 한 번도 떨어지지 않고 붙어다니면서, 두 악동은 꽤 시끌벅적한 우정을 나눴다.

그렇게 무사히 3학년이 끝나는가 싶었는데, 아니나 다를까, 겨울 방학식 당일에 또 일이 터졌다. 혁신이 4학년 형을 경찰에 신고해서 경찰이 교실까지 들이닥치는 사건이 발생했다. 전에 체육관에서 혁신과 무력에게 신발주머니로 얻어맞았던 4학년 아이가, 생각할수록 분했던지, 종업식날 두 악동에게 싸움을 걸었다. 무력은 혁신을 믿고 주먹싸움에 끼어들었다. 4학년 아이는 열세에 몰리자, 상대적으로 약한 무력을 화장실로 끌고 가서 문을 잠그고 때렸다. 혁신은 화장실에 못 들어가자, 112에 신고했다. 꺽다리 4학년이 깡마른 3학년을 가두고 때렸다면서, 경찰을 끌어들인 거였다. 관할 경찰서에서 경찰이 와서, 혁신과 4학년 아이를 경찰차로 데려갔다. 얼마간 대화를 시도한 끝에, 경찰은 사건이 중대하지 않다고 판단했는지 그냥 가버렸다. 뿔이 난 혁신은 112에 전화해서 욕을 한 바가지 퍼붓고, 117 학교폭력 신고센터 상담원에게도 욕을 하고 끊기를 반복했다. 어떻게든 분노를 퍼부을 대상이 필요했다.

응달의 머리가 또다시 지끈거렸다. 서랍에서 두통약을 한 알 꺼내서 입 안에 넣었다. 속으로 이게 마지막 두통약이었으면 좋겠다고 생각한 순간, 마침 오늘이 종업식이라는 사실을 깨닫고 희망을 느꼈다.

응달은 제자들에게 생활통지표를 나눠주고, 교실 문에 서서 제자 한 명 한 명과 작별 인사를 나누었다. 마지막 줄에 혁신과 무력이 있었다.

"너희 왜 이제 나와? 2분단이면, 아까 갔어야지."

응달이 묻자, 혁신이 뜻밖에도 수줍게 웃었다. 그런 혁신을 바라보면서 응달이 물었다.

"혁신이 너 4학년 되면, 싸움도 줄이고, 학교생활도 열심히 해야 한다. 네가 4학년 1반이지?"

무력이 혁신의 옆에서 대답했다.

"선생님, 저는 4학년 6반 됐는데요, 교실이 4층이에요. 혁신이 교실은 3층이라서, 매일 가려면 다리 아프게 생겼어요."

응달이 싱겁다는 듯이 웃으며 핀잔주었다.

"그깟 걸 갖고 엄살떠는 거야? 하루는 네가, 하루는 혁신이가, 번갈아 놀러 가면 되지. 그렇지, 혁신아?"

혁신이 장난스럽게 고개를 끄덕이면서 덧붙였다.

"4학년 돼도 무력이랑 매일 만나서 축구하기로 했어요."

"하루도 빠짐없이요."

혁신의 말을 무력이 냉큼 받아치더니, 혁신의 뺨에 자기 뺨을 비볐다. 하지만, 혁신은 팔꿈치로 무력의 옆구리를 밀어내더니, 손바닥으로 뺨을 닦아냈다. 무력은 옆구리가 아픈지 연신 손으로 쓸어내리면서도 희희 웃었다.

응달은 순간적으로 미간을 찌푸렸다. 팔꿈치로 옆구리를 세게 치면 위험하다고 잔소리하려다가, 무력이 웃는 걸 보고 그만두었다. 혁신이 4학년 때는 좀 더 순한 학생이 됐으면 좋겠다고 생각하지만, 그럴 수 있을까? 응달은 내심 회의적이었다. 혁신의 안에 가득 찬 분노는 어디서 비롯됐을까. 그 밑바닥까지 펌프질로 빼내면, 동화의 세계를 믿는 이

혁신으로 변화할 수 있을까. 올 한 해 아침 자습 시간마다 독서하라고 권유했지만, 혁신은 동화책을 한 권도 읽지 않았다. 잠시 생각에 젖어 제자들을 바라보던 응달은, 마지막 인사를 했다.

"내년에 선생님은 6학년 3반이니까, 같이 놀러 오너라."

"6학년이면 별관이네요. 꼭 찾아뵐게요, 선생님!"

응달이 두 아이의 어깨를 가볍게 두드리며 고개를 끄덕였다. 혁신과 무력이 계단을 뛰어 내려갔다.

***

제자들이 모두 집으로 돌아가자, 교실이 텅 비었다. 경찰이 교실까지 들이닥쳤으니, 시말서를 내게 생겼다. 응달은 컴퓨터 앞에 앉아서 업무포탈 화면을 켰다. 문서함에서 결재 문서를 선택한 응달은, 점심 시간에 체육관에서 시작된 싸움이 종업식 날 경찰 신고로 이어진 저간의 사정을 요약한 다음, 결재자로 생활부장, 교감, 교장을 넣어서 상신했다.

응달은 컴퓨터 앞에서 일어나 교실을 한 바퀴 돌았다. 제자들이 앉았던 책상을 둘러보면서, 지난날 여기서 있었던 추억을 떠올렸다. 그러다가 나무 상판이 칼자국으로 깊게 팬 책상을 발견하고 걸음을 멈췄다. 혁신의 책상이었다.

혁신의 흔적을 발견하고, 사무치게 후회가 밀려왔다. 그간에도 학생들을 집으로 보내고 난 뒤, 텅 빈 교실에 혼자 남아 숱하게 상상한 장면이 있었다. 응달 자신이 하얀 의사 가운을 입고 뇌를 수술하는 장면이었다. 영혼의 의사가 되어, 자기 육신 앞에 선 모습이었다. 의사 응달은 환자 응달의 머리를 열고, 상처와 분노의 암 덩어리를 예리한 메스로 잘라냈다. 그런 다음 머리를 닫고, 흔적이 남지 않는 실로 꿰맸다. 그렇게 숱한 날을 스스로 의사가 되어, 자기의 머리를 열고, 닫고, 봉합했다.

날마다 고통과 분노를 유발하는 암 덩어리를 자르고 뚜껑을 덮어도, 다음 날이면 어김없이 새로운 고통과 분노의 암세포가 생겼다. 끝나지 않을 것만 같던 한 해가 무사히 끝났다. 계속 이대로 살아도 괜찮은 걸까.

응달이 이 순간 가장 후회하는 바는 미자와 한 약속이었다. 자기가 고수해 온 상벌제의 교육방식대로 혁신을 지도했더라면, 오늘과는 다른 모습으로 저 문턱을 넘었을지도 모른다. 응달은 머리카락을 쥐어뜯으면서, 봄날 미자와 한 약속이 잘못됐다는 결론에 도달했다.

응달이 자리로 돌아왔을 때, 누군가 교실 문을 열고 들어왔다.
"선생님, 저 이혁신 엄마예요. 기억하시죠?"
헝클어진 머리칼을 쓸어 넘기면서, 응달은 미자의 추레한 모습을 훑어보았다. 봄날 봤던 화려했던 여인은 어디 가고, 십 년은 늙어 보이는 초췌한 몰골의 여자가 서 있었다. 응달은 미자에게서 그간의 마음고생을 읽었다.
"어쩌지요? 혁신이는 방금 집에 갔는데, 길이 어긋나셨나 봐요."

미자는 풀죽은 얼굴로 조심스럽게 응달의 앞으로 다가섰다.

"선생님 뵈려고 올라왔어요."

응달은 혹시라도 미자가 혁신의 교육에 대한 잘잘못을 따지러 왔나 싶어서 소름이 돋았다. 그럴 경우, 응달이 맞받아칠 말은 이미 준비되어 있었다. 날마다 꿈속에서 연습했던 말이었다. 당신이 자기 자식을 책임진다지 않았느냐. 자기 자식을 스스로 책임진다는데, 한갓 담임이 무슨 자격으로 거부할 수 있었겠느냐. 어젯밤 꿈속에서 응달은, 미자에게 삿대질하며 그렇게 쏟아부었다.

하지만, 미자의 용건은 그런 게 아니었다.

"선생님, 저희가 다음 주에 일산으로 이사 가요. 애들 아빠 허리도 괜찮아져서, 일산에서 사업을 시작하게 됐어요."

방금까지도 혁신과 무력은 4학년 때 같이 놀 궁리뿐이었는데, 이게 웬일인가.

"혁신이도 이 사실을 알고 있나요?"

미자는 고개를 저었다.

"알든 모르든 아빠 사업 때문이니, 지가 별수 있나요? 오늘 집에 가서 말하려고요. 혁신이가 요즘 표정이 밝아졌어요. 새로운 환경에서 살게 되면, 더 좋아지겠지요?"

응달은 혁신이 일산으로 가서 도로 외톨이가 되지는 않을지, 살짝 염려스러웠다. 한 편으로는, 실업자였던 아버지가 다시 일어선다면, 그보다 잘된 일도 없었다. 가족이 새로운 환경에서 더 나아질 수 있다면, 혁신에게도 행운이다.

응달이 퇴근하려고 교문을 나서는데, 유 보안관이 옆구리에 축구공을 끼고 서서 혁신과 무력에게 일장 연설을 하고 있었다.

"보안관님, 무슨 일로 그러세요?"

유 보안관은 마침 잘 됐다는 듯이, 두 아이의 귀를 잡아 끌고 응달 앞으로 끌고 왔다.

"아, 요 녀석들이 저리 가서 놀라고 일렀는데도, 굳이 보안관실 벽으로 공을 뻥뻥 차지 않겠어요? 제가 학교에 경찰을 출동시킨 일로 잔소리 좀 했다고 그러는가 본데, 어린 것들이 못된 짓거리만 배워서 큰일입니다."

응달은 공손하게 유 보안관의 손에서 축구공을 받았다.

"너희들, 선생님이랑 축구 한판 붙어볼래?"

유 보안관이 눈을 동그랗게 뜨고 쳐다보았다.

응달은 외투를 벗어서 운동장 가의 신발주머니 거치대에 건 다음, 축구공을 높이 들고 운동장 한가운데로 걸어갔다.

"와, 선생님도 축구 잘하세요?"

혁신이 깜짝 놀라서 응달을 우러러보았다.

"잘 봐 둬. 오늘 제대로 실력 보여줄 테니까."

응달이 공을 하늘 높이 뻥 차고 달렸다. 혁신이 빠른 속도로 공을 쫓아 달렸다. 무력도 깡충깡충 그 뒤를 따라갔다.

제5화 그대와 춤을

***

　버스에서 내리자, 눈앞에 헌혈차가 늠름하게 서 있었다. 성당에 한 시 반까지 도착하려면 길에서 꾸물거릴 시간이 없었다. 그럼에도, 차마 발길이 떨어지지 않았다. 최근 들어 헌혈의 욕망이 불타올라서 다른 일들이 손에 잡히지 않았다. 문제는 내가 피 보기를 아주 꺼린다는 사실이었다. 이 나이 먹도록, 피 볼 일은 만들지 않고 살아왔다. 어릴 적에 언니가 체한 적이 있었다. 엄마는 민간요법대로 바늘을 꺼내와서 손끝을 따주었다. 그때 언니 옆에 있던 나는 의식을 잃었다. 그날 이후로 우리 집에서는 바늘 대신 매실액을 사용했다. 매실이 소화에도 좋고 해독작용을 한다는 말을 듣고, 엄마는 해마다 여름이면 매실액을 담갔다.

　내가 헌혈하겠다는 의욕에 사로잡힌 건 불과 엿새 전부터였다. 우리 86학번 가운데 사회교육과 K가 백혈병에 걸려 입원했다. 학생회에서는 형편이 어려운 K를 도우려고, 자발적으로 모금행사를 벌였다. 나도 약간의 용돈을 모금함에 넣었다. 그런데, 과 대표는 의욕이 넘쳐서, 우리 과에서는 헌혈증도 모으자고 했다. 나는 그때 코웃음을 쳤다.

　"아니, 요즘 세상에 누가 헌혈을 해? 기껏해야 두세 명이나 내겠지."

　그런데, 나의 예상을 뒤엎고 우리 국어교육과에서만 열다섯 명이나 헌혈증을 냈다. 이들 중 몇 명은 K와 친하다고 가정해도, 15라는 숫자는 충격적이었다. 나는 국민학교 1학년 때 혈액형을 검사하던 날에도 까무러쳤고, 이후로 단 한 번도 피를 뽑은 적이 없었다. 헌혈은커녕, 내 혈액형이 AB형이라서 AB형, A형, B형, O형 모든 피를 받을 수 있다는 점이 좋았다. 아무리 생각해도 AB형은 축복의 혈액형이었다. 적어도 병원에 여분의 피가 있는 한 AB형 환자는 안심할 수 있다. 하지만, 바로 그 희소성으로 인해 병원에서 가장 부족한 혈액형이라는 생각이, 불현듯 나를 사로잡았다.
　"나도 헌혈증을 내야 하는데, 꼭…."
　혼잣말을 되뇌면서 엿새를 보냈다. 닷새째 되는 어제는 성당에서 하는 시각장애인을 위한 녹음 봉사를 신청했다. 학교 대자보에 붙은 공고를 본 순간 즉시 전화를 걸었다.

모금함 사건은 X 좌표만 있던 내 인생에 갑자기 Y 좌표를 생성했다. 단순하고 로봇처럼 딱딱했던 내 삶에 온갖 번잡한 의문이 들끓기 시작해서, 지난 엿새가 괴롭고 힘들었다. 아르바이트로 바쁜 와중에 왜 뜬금없는 자원봉사를 신청했느냐 말이다. 이런 내 맘을 나도 모르겠다. 하지만, 역시 내게는 모든 일이 순조롭지 않았다. 나는 땅이 꺼지게 한숨을 쉬면서 헌혈 차로 시선을 던졌다.

'하필 이 시간 여기에 헌혈차가 있을 줄이야!'

운명의 장난이었다. 나는 입술을 잘근잘근 씹으면서 "그냥 성당으로 간다? 헌혈 차에 탄다?" 양자택일의 정답을 선택하려고 골머리를 앓았다.

'저 헌혈 차에 올라타면, 내 이름 석 자가 새겨진 헌혈증을 받게 돼. 요즘 세상에 자발적으로 헌혈하는 사람은 착한 사마리아인이 틀림없어. 누가 알아? 헌혈증이 천국 문을 여는 열쇠를 대신할지? 그래, 까짓거, 성당에는 좀 늦게 가자. 어차피 정식 녹음은 집에서 하게 될 테니까.'

이 순간 내 눈앞에 헌혈증을 들고 천국 문 앞에 줄 서 있는 사람들의 행렬이 떠올랐다. 나는 대의를 위해 '시간 약속'이라는 도덕 나부랭이를 뿌리치고, 기꺼이 헌혈차에 올랐다. 막상 피를 뽑는 순간, 현기증과 역겨움이 회오리바람처럼 휘몰아쳤다. 나는 파란색 플라스틱 휴지통에 머리를 박고 토했다. 간호사가 나를 간이침대에 똑바로 눕혔다. 누군가 볼펜으로 써놓은 낙서가 눈에 띄었다.

'그대와 춤을.'

힘없는 눈길로 바라보자니, 글자의 획들이 불나방처럼 삐뚤삐뚤 춤을 추었다. 순간적으로 나한테 비문증이 왔나 의심했지만, 그게 아니었다. 불나방이 흩어지더니, 작은 물고기들이 지느러미를 흔들며 헤엄쳤고, 나비 떼가 되어 날아다녔다. 한참 후에 어지럼증이 가라앉자, 몽환적인 파티도 끝났다. 눈을 부릅뜨고 다시 봤을 때, 조금씩 정신이 맑아지면서 글자도 정상으로 보였다. 나는 피식 웃음을 터뜨렸다. 나른한 피로감이 온몸을 감쌌다. 여기서 쉬던 사람이 왜 이런 낙서를 했는지, 그의 상황이 도무지 이해되지 않았다. 무료함을 달래려고 발가락을 꼼지락대고 손가락 장단을 치다가 아무렇게나 썼다기에는, 미적 감각이 뛰어난 글자체였다.

강의실 문에 섰던 수녀님이 "안녕하세요? 저는 베르틸라 수녀입니다. 이 눈가리개를 받으세요." 하면서 천으로 된 눈가리개를 주었다. 그리고, 맨 앞줄에 있는 빈 의자에 앉으라고 말했다. 하필 그 자리는 열변을 토하고 있는 신부님의 바로 앞자리였다. 신부님은 강의를 중단하고, 나를 뚫어져라 쳐다봤다. 뒷자리에서 킥킥거리는 웃음소리가 터졌다. 적어도 다섯 명 이상이 따라 웃었다. 쥐구멍에라도 들어가고 싶었다. 십 초 정도 쏘아보던 신부님이 마침내 입을 열었다.
"녹음 봉사하러 오셨나요?"
"네."
모든 시선을 등 뒤로 느끼면서, 나는 얼굴이 뜨거워졌다.
"몇 시까지 오는 줄로 아셨나요?"

"한 시 반이요."

거의 기어드는 목소리로 대답했다. 코가 뾰족한 서양인 신부님은 바른생활 사나이의 표본처럼 단정하게 빗은 머리에 금테 안경을 썼다. 그 칼끝 같은 눈총을 피할 수 있다면 무슨 짓이라도 하고 싶었다.

"혹시 무엇 때문에 늦었는지 이유를 알 수 있을까요?"

"그냥 집에서 늦게 나오는 바람에…."

나는 헌혈한 사실을 숨기기 위해 대충 둘러댔다. 생김새는 서양인이면서 한국말을 잘하는 이 신부님이 왜 나를 죄인처럼 다그치는지 의아했다. 무료로 일하러 온 자원봉사자에게는 너무 심한 대우였다. 쉽게 넘어갈 줄로 알았는데, 그게 아니었다.

'성직자가 용서와 사랑이라곤 눈곱만치도 없잖아?'

나는 고개를 빳빳이 쳐들고, 금테 안경테 속의 눈동자를 마주했다. 신부님의 눈빛은 뾰족한 턱선처럼 흔들림이 없었다.

'뭐야, 이 신부님! 아직도 할 말이 남았다는 표정이네.'

내가 미간을 찌푸렸을 때 신부님이 일장 연설을 늘어놓기 시작했다.

"성경에는 신랑을 맞이하는 열 명의 처녀 이야기가 나옵니다. 다섯 처녀는 기름을 넉넉하게 준비했지만, 게으른 다섯 처녀는 등잔에 넣을 기름이 부족했어요. 결국, 신랑과 함께 천국 문으로 들어간 사람이 누군지는 자명합니다. 이렇게 시간을 어기고 게으름을 피운다면, 뒤늦게 천국 문 앞에서 슬피 울던 다섯 처녀와 하등 다를 바가 없습니다."

억울하고 분해서 눈물이 핑 돌았다. 나는 집에서 일찌감치 출발해서, 중간에 헌혈하고 왔어도 고작 이십오 분 지각했다. 게다가 난 등불을 들고 신랑을 맞이할 생각이 전혀 없었다. 그저 백혈병을 앓는 얼굴도 모르는 사회교육과 학생에게 선한 사마리아인이 되고 싶었을 뿐이다. 처음 보는 신부님에게 부당한 대우를 받고 있었다. 하지만, 불행은 그게 끝이 아니었다. 이미 전의를 상실한 내게, 신부님이 마지막 한 발을 탕 쏘았다.

"자매님이 거짓말한 거 다 압니다. 이번은 넘어가지만, 다음에 또 이러면…."

바로 이 순간, 신부님의 파란 눈동자에 대한 적의가 머리 끝까지 차올랐다. 적어도 지각에 대한 벌이라면, 여기 들어와 모든 이들의 눈총 세례를 받은 걸로 충분했다. 가뜩이나 도망치고 싶은데, 차가운 언어의 칼날은 폐부를 꿰뚫고 깊은 상처를 주었다. 나는 지각생이요, 거짓말쟁이로 낙인찍혔다. 저 파란 눈으로 '너는 창녀요 매춘부다.'라고 선언하는 듯했다. 수치심으로 심장이 얼얼해진 나는 입술을 떨면서 마지막 발악을 하고 말았다.
"네, 그래요! 말 못 할 사정이 있어서 늦었어요. 저 때문에 다른 사람들이 기다리는데, 이제 그만하시지요!"

말을 마치자, 어깨까지 덜덜 떨렸다. 그다음에는 믿기지 않는 일이 벌어졌다. 폭포수 같은 눈물이 볼을 타고 줄줄 쏟아졌다! 제기랄. 이게 무슨 망신이람. 나는 울고 있다는 걸 숨기기 위해 눈물을 닦지 않았다. 이대로 눈물을 말릴 작정이었다. 덕분에 나와 같은 방향을 바라보는 자원봉사자들은 내가 우는 줄을 몰랐다. 나를 울린 장본인조차 영영 시선을 거둬 버렸다. 울음을 참고 있는데, 수녀님이 다가오더니 내 어깨를 잡고 일으켜 세웠다. 나는 수녀님을 따라 강의실 밖으로 나왔다. 문턱을 넘기 전에 돌아봤더니, 파란 눈의 신부님은 평정심을 잃지 않고 강의를 계속하고 있었다.

　'이제 속이 후련하세요? 내가 다시는 이 성당에 발을 들이나 보세요. 이 성당 말고 다른 성당에도, 또 당신이 믿는 그 신랑에게도 절대로, 절대로 가지 않을 겁니다. 흥, 평생 당신을 저주하며 살겠습니다, 내 평생!'

　나는 콧물을 훌쩍이면서 어두컴컴한 실내로 수녀님을 따라 들어갔다. 긴 의자에 앉자, 수녀님이 물끄러미 나를 바라보았다.
　"억울하고 분했구나! 저런! 어쩌면 좋아!"
　나는 손바닥으로 눈물을 닦으면서 말했다.
　"스무 살 먹도록 남 앞에서 운 적이 단 한 번도 없었어요. 골방에 틀어박혀서 남몰래 눈물 흘릴지언정! 그런데, 이렇게 덧없이 울다니, 너무 창피해요. 성직자잖아요? 저 정도면 완전히 양의 탈을 쓴 늑대가 아닌가요? 저를 무슨 죽을 죄인처럼 꾸짖다니요!"

나는 손에 쥔 눈가리개를 움켜쥐면서 입술을 깨물었다. 내 말이 너무 심했다. 수녀님은 어차피 신부님 편인데, 앙탈해봤자 소용없었다. 이제라도 집에 갈까. 강의실에서는 사람들이 웅성거리면서 밖으로 나오고 있었다. 나는 눈가리개를 다시 펼치면서 고개를 들었다. 베르틸라 수녀님과 눈이 마주쳤다. 눈꼬리가 아래로 처진 선한 눈매였지만, 부드러운 카리스마가 풍겼다. 수녀님이 내 마음을 다 안다는 듯이 고개를 천천히 끄덕였다. 아, 나를 쭉 보고 계셨구나! 수녀님이 내 안의 갈등과 동요를 지켜봤다는 걸 깨닫자, 용기와 위로를 느꼈다. 수녀님은 내 어깨에 손을 얹고 나직이 말했다.

"마티아 신부님은 다른 사람을 훈계할 때의 잣대보다 더욱 엄격한 잣대로 자기를 재단하는 분이시지요. 그분이 비판하는 게 부당하다고 말할 사람이 하나도 없을 정도로, 흠결 없이 살고자 하는 분이십니다. 엄격하다 보니, 상대방은 공감받지 못한다고 느끼겠지만, 다들 결국은 약이 됐다고 고백하더군요. 시각 장애인 봉사에는 특별한 사명감을 가지고 계세요. 이 부분은 개인사가 얽혀서 자세히 말할 수 없지만, 분명 선한 영향력을 가지신 분입니다. 이번 봉사에 자원해 줘서 고마워요. 시작은 매끄럽지 않았지만, 차가운 얼음장 그 밑에서 물고기가 헤엄치듯이, 오늘 자매님은 하느님의 섭리 안으로 초대받았어요. 포기하지 말고, 함께 갑시다. 무거운 짐 내려놓고, 물살을 따라 헤엄쳐 가세요. 오늘은 연어처럼 물살을 거슬러 올라가세요. 인간은 누구나 실수하지요. 신부님조차도 예외는 아니에요."

기도하듯 나직하게 말하는 베르틸라 수녀님의 음성은 자장가처럼 평화롭게 들렸다. 그러다가 문득, '신부님의 실수'라는 대목에서 정신이 번쩍 났다. 수녀님과 내가 여고생처럼 담임선생님의 뒷담화를 나누는 기분이었다. 물론 성직자라고 인간적인 면까지 완벽할 수는 없다. 따지고 보면, 나에게 마티아 신부님을 비난할 자격은 없었다. 한창 무르익던 강의의 흐름이 나 때문에 방해됐다. 그 스트레스를 성직자라는 이유만으로 참으라고? 그 큰 인내를 요구할 권리는, 지각한 나에게 월권이나 다름없었다. 억울했던 감정의 먹구름이 빠른 속도로 걷혔다. 수녀님은 내 얼굴을 보더니, 아까 강의실에서처럼 내 어깨를 잡고 일으켰다. 나는 수녀님을 따라 밖으로 나왔다.

강의실에 있던 사람들이 다 쏟아져나왔다. 수녀님은 나를 사람들 틈바구니에 살짝 밀어 넣더니, 앞으로 가서 조금 큰 목소리로 말했다.

"여러분, 우리 마티아 신부님의 강의를 잘 들으셨지요? 이번 봉사의 의미와 여러분이 앞으로 할 일을 이해했으리라고 봅니다. 여러분이 할 일은 시각장애인을 위해 교과서와 대학 교재를 낭독해서 녹음하는 봉사입니다. 이번 교육 기간이 끝나도 계속할 의지가 있다면, 누구에게나 기회를 드리겠습니다. 아까 제가 여러분에게 눈가리개를 하나씩 나눠드렸지요? 그 눈가리개를 어떻게 사용할지, 신부님이 알려

주실 겁니다. 우선은, 남자와 여자로 나눠서 두 줄로 서세요."

자원봉사자들은 웅성거리면서 남자와 여자로 갈라섰다. 이즈음에는 나도 편견 없이 마티아 신부님을 바라보기로 결심했다. 신부님이 가운데 서서 말했다.

"이제부터 맹인 체험을 해보겠습니다. 여러분은 시각장애인을 위한다고 왔지만, 모두 정안인이지 않습니까? 오늘은 여러분이 섬기는 대상의 불편함을 이해하는 날입니다. 옆에 있는 형제와 자매가 오늘의 파트너입니다. 먼저 형제들은 눈가리개를 주머니에 넣고, 자매들은 즉시 눈가리개를 쓰세요. 삼십 분 후에 서로의 역할을 교대하겠습니다. 각각 삼십 분씩 총 육십 분 체험 후에 강의실로 돌아오십시오."

나는 옆에 있는 남자를 쳐다보았다. 갓 제대했는지, 머리가 밤송이 같고 살갗이 까무잡잡했다. 눈가리개를 바지 뒷주머니에 쑤셔 넣다가 나와 눈이 마주치자, 어색하게 미소 지었다. 나는 새침하게 고개를 까딱이고는 눈가리개를 썼다. 햇빛 한 오라기도 허용하지 않는 암막 눈가리개였다. 신부님의 목소리가 한층 또렷하게 들렸다.

"파트너와 둘이 짧은 여행을 다녀오세요. 차가 쌩쌩 달리는 밖으로 대담하게 나가세요. 정안인은 맹인보다 반보쯤 앞에 서서 팔꿈치를 내미세요. 맹인 역할을 맡은 자매님은 형제님의 팔꿈치를 잡으세요. 팔꿈치의 움직임만으로도 방향을 예측할 수 있습니다. 길을 걷는 도중에 제멋대로 손을 놓으면 위험합니다. 이 점 명심하세요. 자매님들, 옆에 있는 형제님의 팔꿈치를 당장 잡으세요. 거기 세 번째 줄 자매님, 뭘 우물쭈물합니까? 어서 팔을 잡으세요. 그렇죠. 이제 됐네요. 자, 그럼, 출발!"

신부님의 날카로운 출발 명령이 떨어지자, 여기저기서 몸을 움직이는 소음이 들려왔다. 모두 숨죽이면서 불안스럽게 출발했다. 나를 인도해서 몇 발짝 떼던 파트너가 우뚝 서더니, 매우 집중하는 듯한 음성으로 말했다.
"바로 아래가 계단이에요. 살살 갈게요."
손가락 아래서 단단한 근육이 미세하게 움직였다. 계단을 내려간 후에 정처 없이 걸었다. 아, 이게 뭐람. 수녀님의 그윽한 목소리에 홀리지 않았더라면, 집에서 다리 뻗고 쉬고 있을걸, 고생을 사서 하게 생겼다. 봉사하려고 왔더니, 이게 무슨 날벼락인가. 굳이 눈까지 가려가면서 시각 장애를 체험하라니? 자동차 경적이 귀청을 때리고, 어디서 공사하는지 쇳소리와 말소리까지 윙윙거렸다. 무슨 위험이 도사릴지 모르는 길을 낯선 사람과 걷자니, 식은땀이 날 지경이었다. 삼십 분이 어느 세월에 가나 탄식이 튀어나왔다. 눈가리개 너머로 들리는 모든 소음이 위협으로 다가왔다.

"삼십 분 됐네요. 교대하지요."
드디어, 파트너가 역할을 바꾸자고 했다. 휴, 안도의 한숨을 쉬면서 눈가리개를 벗었다. 갑자기 쨍한 햇살이 눈을 찔러서 두 눈을 질끈 감았다. 잠시 후에 눈을 떴더니, 파트너가 이마에 올렸던 눈가리개를 내려쓰고 내 팔꿈치를 잡았다. 여기까지 온 만큼 길을 돌아가기로 했다. 맹인을 인도해 본 적이 없기는 피차 마찬가지여서, 우리는 대화다운 말조차 나누지 못하고 긴장해서 걸었다. 딱 한 번 파트너가 "좀 괜찮아지셨어요?"라고 물었지만, 대꾸하지 않았다. 끔찍한 순간을 되씹고 싶지 않았다. 그 후로는 둘 다 입을 닫았고, 역할 놀이에만 집중했다.

한 시간 만에 우리는 녹초가 돼서 터덜터덜 교육관으로 돌아갔다. 마티아 신부님은 강단에서 굳은 얼굴로 우리를 맞이했다. 책상 위에는 녹음테이프와 교재를 담은 에코백이 하나씩 놓여 있었다. 뒤쪽에서 누군가 뜻밖의 질문을 던졌다.

"신부님과 수녀님도 소경 체험을 해보셨습니까?"

여기저기서 폭소가 터졌다. 돌아보니, 아까 나와 다녔던 파트너였다. 베르틸라 수녀님이 웃는 얼굴로 핀잔을 주었다.

"바오로는 그게 왜 궁금하지? 신부님은 평일이나 주일이나 바쁘고 중대한 임무가 있으신데? 물론 나도 체험한 적은 없고. 왜 그러니? 잔뜩 약이 오른 얼굴인데?"

점잖은 수녀님이 가볍게 농담하자, 누군가 "어?"하고 의문 부호를 던졌다. 중년의 수녀님은 재빠르게 덧붙였다.

"아, 저 형제는 바오로라고, 저의 제자예요. 군 복무를 마치고 복학을 준비하는 동안 여러분처럼 녹음 봉사를 하러 왔다네요. 그렇지, 바오로?"

나는 뒷자리를 돌아보았다. 바오로는 대답 대신 빙그레 웃음을 머금었다. 옆에서 잠자코 듣던 신부님이 입을 열었다.

"바오로 형제의 질문에 답변이 될지 모르겠지만, 저의 부모님은 앞을 보지 못하는 소경이셨습니다. 아주 어렸을 적부터 부모님 흉내를 낸다고 눈을 가리고 걷다가 여기저기 부딪쳐서 멍이 들곤 했지요. 하느님의 은혜로 저는 소경을 면했지만, 보시다시피 약시입니다. 소경을 인도해 본 적은 당연히 많았겠죠? 여러분에게 시각 장애를 체험하도록 프로그램을 제공한 것도 저였습니다. 어때요? 할만했나요?"

자원봉사자들의 대답은 "네."와 "아니오."로 엇갈렸다. 나는 신부님의 솔직함에 깜짝 놀랐다. 바늘로 찔러도 피 한 방울도 안 나올 같던 싸늘한 눈매의 신부님에게 저런 뜨거운 아픔이 숨겨져 있었다니! 성직자가 되는 게 쉽지 않았을 텐데, 대체 어떤 인생길을 걸어서 여기에 왔을까? 물론 거기에 대해 질문하지는 않았다.

나는 에코백을 메고 누구보다 먼저 강의실을 빠져나왔다. 아까 눈을 가리고 걸었던 길을 다시 걷노라니, 만물이 새로웠다. 침엽수와 활엽수의 자태와 잎사귀마다 다른 빛을 반사하며 흔들리는 나뭇잎. 자동차의 크기와 색깔도 저마다 달랐다. 눈이 있다는 것, 나의 부모님이 소경이 아니라는 것도 행운이었다. 새로운 자각이 싹텄다. 세상에는 얼마나 많은 감사 거리가 있을까.

흥얼흥얼 걷다 보니까, 배에서 꼬르륵 소리가 났다. 그러고 보니, 아침과 점심을 다 굶었다. 뭐라도 먹어야겠다고 생각하면서 골목을 둘러보았다. '천주의 숯불갈비'라는 간판이 눈에 들어왔다. 혼자서 식당에 들어가기가 부끄러운 사람도 있겠지만, 나는 그런 경험이 많았다. 정부에서 과외를 법적으로 금지한 뒤로는 학비를 벌기가 어려웠다. 약국이 밀집한 동네를 다니면서 신약에 대해 설문 조사하거나, 방송국에서 두 대의 전화기를 귀에 대고 시청률을 조사하는 등 단기 아르바이트를 전전했다. 길을 걷다가 아무 식당이나 들어가서 끼니를 때웠다. 빨리 먹어야 하니까, 형편없는 음식만 먹었다. 혼자 고깃집에 들어간 적은 없지만, 영양실조에 걸리지 않으려면 고기를 먹어야 할 것도 같았다. 게다가 오늘은 헌혈까지 한 날이다. 뭐든 처음은 있는 법이고 오늘이 바로 그날이었다.

고깃집에 들어가 앉자마자, 여종업원이 메뉴판을 가져와서 몇 분이시냐고 물었다. 혼자라니까, 대뜸 "갈비탕이요?" 하고 물었다. 나는 숯불갈비 이 인분을 먹겠다고 대답했다. 그때 식당으로 낯익은 남자가 들어왔는데, 성당에 같이 있었던 바오로였다. 여종업원은 방을 나가면서 "삼촌, 숯불 좀 준비해 주세요."라고 말했다. 한참 만에 바오로가 숯불을 가져와서 식탁 가운데에 꽂고 불판을 얹었다. 뒤늦게 나를 알아보고 반가워했다.

"어떻게 여기에 오셨어요? 저희 가게인데."

나도 겸연쩍게 대꾸했다.

"배가 고파서 고기 좀 먹으려고…."

바오로는 고기를 반 정도 불판에 올리더니, 자기도 갈비탕이나 먹어야겠다면서 일어섰다. 그때 생각지도 않게 내 입에서 불쑥 이런 말이 튀어나왔다.

"같이 먹을래요?"

말을 꺼내놓고, 아뿔싸! 하고 후회했다. 바오로의 얼굴이 붉어지면서, 당황함을 감추지 못했기 때문이다. 당장이라도 쏟아진 말을 주워 담고 싶었다. 하긴, 밥을 같이 먹는 사이라면 꽤 친분이 두터운 사이가 아닐까. 이 순간, 실언했다는 생각에 당장 말을 주워 담아야 했다.

"아니, 뭘 그리 놀라세요? 그냥 해본 말, 농담이에요, 하하하."

두서없이 내뱉고 보니, 실없는 사람이 돼버렸다. 나는 쥐구멍에라도 숨고 싶었다. 고개를 푹 숙이고 집게로 고기를 뒤집으며 딴전을 피웠다. 그새 바오로는 줄행랑치고 없었다. 애써 자연스러움을 가장하고 쑥스러운 마음을 진정시켰다. 빨리 몇 젓가락 집어 먹고 가려고 고기 한 점을 입에 넣는데, 바오로가 돌아왔다. 맞은편 자리에 앉더니, 쟁반에서 갈비탕 두 그릇과 맥주를 내려놓았다.

이럴 거면, '잠깐만 기다리세요.'라고 한마디만 해주지! 비로소 원망이 솟아올랐지만, 우리 두 사람 다 성격이 개방적이지 않고 표현이 서툴다는 걸 알아챘다. 주눅 들었던 마음이 펴지면서, 이후의 대화는 순조로웠다. 다행히도 우리는 상대방의 언어를 해석하느라 에너지를 쏟지 않았다. 자연스러운 생략과 배려 속에서 끊이지 않고 이야기를 나눴다. 식당을 나올 때는 몹시 배가 불렀다. 바오로가 고기를 이 인분이나 추가해서 대식가처럼 먹어 치웠다. 영양 보충은 제대로 한 셈이었다. 앞으로 한동안은 또 부실한 음식을 먹게 되겠지만.

"숨을 못 쉬겠어요. 소화될 때까지 좀 걷지요."

바오로는 앞치마를 벗고, 내 뒤를 따라 나왔다. 큰길로 나오자, 헌혈차가 그 자리에 아직 있었다.

"아까, 저기서 피 뽑다가 늦었어요."

바오로는 입을 벌리고 나를 바라보다가 물었다.

"그냥 말하지 왜 비밀로 했어요? 헌혈하다가 늦었다고 했으면, 신부님도 아무 말 없이 넘어갔을걸. 뒤에서 봤지만, 곤욕스러워 보였어요."

나는 어깨를 으쓱하며 별거 아니라는 듯이 말했다.

"왼손이 하는 일을 오른손이 모르게 하라면서요? 뭐, 그런 뜻에서 한 행동이었는데, 되레 거짓말쟁이라던데요. 사실, 왜 그랬는지는 나도 모르겠어요. 아까는 화가 나서 올바른 대처가 어려웠어요. 하지만, 신부님 부모님 사연을 듣는 순간, 모든 분노가 사라졌어요. 그런 과거를 가진 사람은 교만과는 거리가 멀잖아요."

바오로가 생각에 잠긴 표정으로 고개를 주억거렸다. 나는 계속해서 빠르게 말했다.

"다행스럽게도 수녀님이 나를 데려다가 조언해 준 덕분에 격앙됐던 감정을 제어할 수 있었어요. 자칫했다가는 '왜 나한테 그래요, 아아악!' 하고 비명을 지르면서 뛰쳐나올 뻔했다니까요!"

나는 정말 미친 여자처럼 머리카락을 마구 헝클어뜨리면서 목청을 높였다. 난데없이 바오로가 허리를 꺾으면서 폭소를 터뜨렸다. 하지만, 별로 웃기려고 한 말도 아니었다. 심각하게 나의 진심을 털어놓았을 뿐이었다. 하긴 가족이나 친구들도 내가 웃기려고 할 때는 안 웃고, 오히려 심각하게 말할 때 배꼽을 잡고 웃었다. 그리고는, '넌 코미디언을 해도 되겠다.' 하고 말하곤 했다.

우리는 유쾌하게 긴 대화를 나누면서 한 정거장쯤 걸었다.

***

저만치 앞에서 하얀색 양복을 입은 남자가 지팡이를 휘두르면서 다가왔다. 검은색 선글라스를 쓴 소경이었다. 이제부터 나는 그의 이름을 S라고 부르겠다. 몇 살인지 가늠하기 어려웠지만, 나잇살도 없고 결혼식에 가는 신랑처럼 차려입은 걸로 봐서 서른 살은 넘지 않았다. 땀으로 범벅이 된 S가 우리 앞에 왔을 때, 가눌 길 없는 불행감에 빠져 있었다. 누가 새 옷을 입혀줬는지, 정장과 구두, 셔츠까지 멋스러웠다. 집에서 나올 적만 해도 깔끔했을 신사가, 길에서 무슨 봉변을 당했는지 먼지와 흙투성이였다. S는 감정이 북받쳐 올라 있었다. 사람이 이렇게나 많이 다니는 번화가에서 지팡이를 사정없이 휘두르다니, 얼마나 위험천만한 행동인가. 저기에 맞는다면, 누구라도 시퍼렇게 멍들 게 뻔했다. S는 이성을 잃고 갈지자로 걸었다. 눈에 띄는 행색과 험악한 표정, 난폭한 지팡이를 본 행인들은 멀찌감치 피했다. 그가 우리 앞으로 바짝 다가오자, 나도 다른 이들처럼 돌아가려 했다. 그때, 바오로가 다급하게 속삭였다.

"저 사람이 우리한테 뭐라고 하네요. 한 번 들어봐요."

나는 여전히 움츠린 등짝을 살짝 돌리고 비스듬한 자세로 섰다. S는 우리 쪽으로 눈을, 아니 검은 선글라스를 향한 채 말했다.

"저, 은혜 성당에 가야 해요. 벌써 한 시간 넘게 같은 길만 맴돌았어요."

용기를 쥐어짰는지 그의 목소리는 당장이라도 끊어질 전선처럼 가늘었다. 말을 끝내자, 숨을 몰아쉬면서 우리 쪽으로 귀를 기울였다. 우리의 대답을, 마음 졸이면서 기다리는 듯했다. S와 우리 사이에는 아무도 없었다. 눈에 띄는 복장을 하고 사납게 움직이는 그를 피해 사람들이 멀찍이 물러났다.

여전히 그에게 호감이 생기진 않았지만, 나도 모르게 대답이 흘러나왔다.

"은혜 성당은 버스를 타고 한 정거장만 가면 돼요."

바오로가 특유의 조용한 미소를 머금고 나에게 말했다.

"이제야 알겠어요."

"뭘요?"

"우리가 왜 그걸 배웠는지를."

"그거요?"

나는 이 긴박한 순간에 스무고개를 하려는 바오로가 답답해서 눈살을 찌푸렸다.

"뜸 들이지 말고 얘기해요. 도대체 그게 뭔데요?"

바오로는 이번에도 느긋하게 대답했다.

"아, 뜸을 들이려던 건 아니었어요. 내 말은, 오늘 눈가리개 체험을 왜 했는지 알 것 같다고요."

"그러니까, 눈가리개 체험이 왜요?"

퉁명스럽게 대꾸한 나는 비로소 바오로의 말뜻을 이해했다. 그래서 바로, "아하! 눈가리개!"하고 목청을 높이면서 손뼉을 쳤다. 하지만, 너무도 명확하게 바오로의 의도를 간파한 까닭에 참을 수 없는 짜증이 몰려왔다.

"설마 지금 써먹겠다고요? 이 봐요. 그 한 시간은 우리가 벌벌 떨면서 차도를 헤맸던 시간이었어요. 뭘 배우고 무슨 의미를 찾고 할 문제가 아니었다고요. 저한테는 처음부터 끝까지 배울 게 없었어요. 그렇게 대단한 거였다면, 신부님과 수녀님이 다른 봉사를 핑계로 참여 안 했을 리가 없잖아요. 머나먼 유럽 대륙까지 성지순례는 잘도 떠나면서! 이건 우리를 골탕 먹이려는 음모라고요. 눈가리개라니, 어이가 없어서, 참나!"

바오로는 아직도 여유를 잃지 않고, 내 말을 끝까지 들었다. 말을 마친 내가 의기양양하게 쳐다봤을 때, 그는 손바닥으로 말없이 S를 가리켰다. 하는 수 없이 나도 고개를 돌려서 S를 바라보았다. S는 풀이 죽은 채 여전히 우리 쪽으로 귀를 기울였다. 다리를 모으고 서서. 지팡이를 두 손으로 감싸고 약간 고개를 숙인 채 운명에 맡기는 모습이었다. 조금 전까지 피하고 싶었던, 잔뜩 찡그리고 난폭했던 남자는 어디 가고, 무력한 한 남자가 서 있었다. 나는 고개를 갸웃거렸다. 어쩐지 그가 하나도 무섭지 않았다. 일그러진 그의 얼굴은 자기가 헤매는 길이 어딘지 모르는 데에 따른 공포심을 담고 있었다. 우리의 대답이 그에게는 유일한 희망이고 구원이었다.

나는 호기심을 느끼면서 물었다.

"저기요, 약속 장소에 몇 시까지 가셔야 하는데요?"

S는 내 목소리에 놀라 어깨를 공중으로 크게 들썩이더니, 입술을 떨면서 대답했다.

"약속 시간은 벌써 지났어요. 그냥, 가기만 하면 돼요."

바오로는 그 말을 듣고, 한시라도 지체할 수 없는 상황이라고 판단했다. 다짜고짜 S에게 팔꿈치를 들이대더니, 내가 바오로를 만난 이래로 가장 빠른 속도로 말했다.

"어서 제 팔꿈치를 잡으세요. 성당에 데려다줄게요."

그러더니, 뒤늦게 나의 존재를 의식했는지, 인심 쓰듯이 덧붙였다.

"미안해요. 먼저 갈게요."

내키지 않으면 따라오지 말라는 뜻이었다. 나는 자존심이 팍 상해서 대답을 바로 하지 못했다. 이 틈을 비집고 S가 다섯 살짜리 소년처럼 달뜬 목소리로 외쳤다.

"정말 데려다주시게요? 감사합니다! 감사합니다!"

땀과 콧물로 얼룩진 낯빛이 환해지더니, 재빠르게 삼단 지팡이를 접고 바오로의 팔꿈치를 잡았다. 바오로의 맘이 바뀌기 전에 떠나려고 서두르는 기색이었다.

마침 버스가 달려오고 있었다. 버스는 우리를 지나쳐서 저만치 앞에서 멈췄다.

"뛰어야 해요! 버스가 떠나기 전에!"

바오로가 S를 이끌고 뛰기 시작했다. 하지만, 두 사람의 움직임은 너무 조심스럽고 느렸다. 뒤에서 쳐다보던 나는 참지 못하고 그들 앞으로 튀어 나갔다. 버스 문을 닫기 전에 기사 아저씨에게 외쳤다.

"잠깐만 기다리세요! 저기 뒤에서 시각장애인이 뛰어오고 있어요!"

버스 기사는 귀찮다는 듯이 손을 휘휘 내젓더니, 문을 재빠르게 닫았다. 버스는 미련도 없이 떠나버렸다. 나는 버스 꽁무니에 검지를 쳐들고 따졌다.

"좀 태워 주면 덧나나!"

다음 버스는 저만치 뒤에서 멈췄다. 이번에는 내가 미처 도착하기도 전에 문이 닫혔다. 퇴근하는 사람들로 북새통이라, 버스는 비집고 들어갈 틈이 없을 정도로 만원을 이뤘다. 버스 기사가 인심을 쓰려고 해도 승객이 빨리 출발하라고 화를 냈다. 아무도 소경을 위해 기다리려 하지 않았다. 그다음 버스도 바오로와 S가 허겁지겁 달려오자마자 문을 닫았다. 버스 문을 주먹으로 쾅쾅 두드렸지만, 쌩하니 떠났다.

"이제 어떡할 거예요?"

나는 투덜거리면서 바오로를 돌아보다가 깜짝 놀랐다. 그가 S 옆에서 어쩔 줄 모르고 서 있었다. 검은 안경을 벗은 S가 맨눈을 부릅뜨고 있었다.

"왜 이렇게 되도록 놔뒀어요? 선글라스는 어디 있고?"

나도 모르게 비난하는 말투로 물었더니, 바오로는 후회하는 얼굴로 대답했다.

"다 내 탓이에요. 버스가 떠나려 하길래, 나도 모르게 이 분 손을 놓고 쫓아갔어요. 몇 초 뒤에 돌아봤을 때 중심을 잃고 넘어지더군요. 그 충격으로 선글라스가 떨어졌는데, 마침 버스를 타려고 뛰어오던 사람이 발로 걷어찼어요. 버스가 출발한 뒤에 보니까, 저렇게 됐어요."

나는 바오로의 시선을 쫓아서 차도 위를 살폈다. 버스 바퀴에 깔려서 깨지고 부러진 선글라스가 보였다. 마치 검은 새처럼 납작하게 누워 있는 선글라스를 본 순간, 나도 모르게 몸서리쳤다.

생각보다 상황은 더 끔찍해졌다. 맨 처음 든 생각은 버스 타기를 포기해야 한다는 것이었다. 다음으로는 절망감이었다. 내 체력이 바닥났으니까. 하지만, 소경이라는 이유만으로 탑승 거부를 당한 마당에, 저렇게 눈을 부릅뜬 S를 데리고 만원 버스에 오를 수는 없었다. 나는 입술을 질끈 깨물면서 내뱉었다.

"이제 남은 방법은 딱 하나예요. 선택의 여지가 없어요."

그리고 바오로를 빤히 쳐다보면서 입술로 중얼거렸다.

"성당까지 걸어가는 수밖에."

바오로는 입을 떡 벌리고 당황한 표정을 지었다. 하지만, 이내 눈가가 촉촉해지면서 표정의 변화를 보였다. 아무 말 없이 고개를 끄덕이더니, S의 손을 끌어다가 자기 팔꿈치에 갖다 댔다. S도 상황을 눈치챘는지, 지체하지 않고 바오로의 팔을 덥석 잡았다. 우리는 한 발씩 앞으로 나아갔다. 두 남자는 서로의 걸음새에 적응했는지 점점 속도를 냈다. 이제는 내가 그들 꽁무니를 졸졸 따라갔다. 바오로의 사명감과 S의 절박함, 그 두 가지가 내게는 없었다. 하지만, 끝까지 따라가서 이 드라마의 끝장을 확인해야 할 것 같았다.

정말로 내게는 호기심, 그 이상도 그 이하도 아니었다.

드디어 은혜 성당 앞 버스 정류장에 도착했다. 여기서부터 성당까지는 가까운 거리였다. 갑자기 불편해진 나는 주머니에 손을 넣었다. 아까부터 딱딱한 질감이 거슬렸는데, 부지런히 쫓아오느라 확인할 새가 없었다. 지금 두 남자의 걸음이 느려진 틈을 타서, 한번 꺼내봐야겠다.

어, 이게 뭐지?

호주머니에서 신경을 거슬렀던 딱딱한 종이는 헌혈증서였다. 아까 내가 헌혈한 사실이 부스스 떠올랐다. 맞아, 저기 버스 정류장 옆에 헌혈차가 서 있었어. 차에 올라 헌혈하느라 봉사자 모임에 지각했었지. 신부님이 날카롭게 노려보면서 질문을 퍼부었고, 그 바람에 스트레스가 폭발했었지. 끝난 다음에는 고깃집에서 바오로를 다시 만났어. 이 모든 일의 발단은 헌혈 차에서 비롯됐어. 그리고 마지막으로, 인상적인 필체로 쓴 낙서가 떠올랐다. '그대와 춤을.'

낙서한 사람은 도대체 무슨 생각으로 그 문장을 썼을까. 나이트클럽에서 애인과 춤을 추고 싶었을까. 가느다란 근육질의 남자가 전신 거울 앞에서 동작을 연습하는 장면이 떠올랐다. 그 남자는 블랙스완의 치명적인 남자 뱅상 카셀이었다. 하지만, 영화에서는 뱅상 카셀이 춤추는 장면이 없었는데? 김빠진 상상력은 여기서 멈췄다. 고개를 들어보니, 바오로와 S는 저만치 앞에서 엉거주춤하게 걸으며 골목길로 접어들었다. 나도 뒤따라갔다. 바오로의 아버지가 한다는 '천주의 숯불갈비' 간판을 지나서 약간 언덕진 고개를 타고 올랐다. 탈진한 S는 이제 바오로의 팔에 매달리듯 걷고 있었다. 바오로는 얼굴에서 목으로 흐르는 땀을 닦지도 않고 뚜벅뚜벅 걸었다. 한시라도 빨리 S를 데려다주는 데 온 힘을 쏟고 있었다.

'에그, 사람이 덩치도 크면서, 아기처럼 매달리긴. 그냥 놓고 각자 걸었으면 딱 좋겠건만!'

앞서가던 두 남자의 발걸음이 빨라졌다. 아닌 게 아니라, 거의 다 왔다는 이유만으로 체력이 차오르는 모양이었다. 여전히 S는 바오로의 팔을 두 손으로 붙잡고 놓지 않았다. 그에게 바오로가 얼마나 믿음직한지, 꼭 하느님처럼 의지한다는 생각이 들었다. 측은하게도 바오로는 입으로 영차! 영차! 하고 주문을 외면서, 젖 먹던 힘까지 짜내고 있었다.

***

성당 정문에 도착했을 때 나는 알 수 있었다. S가 한껏 멋을 부리고 만나려는 여자가 누구인지를. 성당 정문 앞에는 단아한 드레스를 입은 소경 여자가 서 있었다. 그녀의 옆에는 베르틸라 수녀님이 팔을 잡고 서 있었다.

'두 남녀는 혼배성사와 관련된 교육을 받으려는 게 아닐까.'

이런 생각이 뇌리에 얼핏 지나갔다. 그녀는 S처럼 검은 선글라스를 착용하지 않고 다소곳이 눈을 감고 있었다. 덕분에 갸름하고 오밀조밀한 이목구비가 매력적으로 보였다. S는 눈을 부릅뜨고 여전히 바오로를 의지하고 있었다.

"저기 온다! 거봐, 무사히 도착한다고 했지!"

베르틸라 수녀님의 목소리가 명랑하게 울렸다. 바오로도 S에게 말했다.

"약속하신 여자분이 나와 계신 것 같네요."

"저를 데려다주세요."

S가 수줍은 미소를 지었다. 우리가 만난 이후 S의 미소를 본 것은 처음이었다. 바오로가 S를 데려가자, 베르틸라 수녀님이 그녀의 손을 잡아 S와 맞잡게 해주었다. 두 사람의 손이 닿는 순간, 말할 수 없이 행복한 미소가 동시에 떠올랐다. 누가 먼저랄 것도 없이 어찌나 환하게 웃던지, 우리는 넋을 잃고 쳐다보았다.

손을 잡았던 S와 그녀가, 갑자기 빙글빙글 돌기 시작했다. 왈츠 같기도 하고, 즉흥적인 동작 같기도 한 기이함으로, 그들만의 유희를 즐겼다. 아마도 오늘 이전의 어느 날 두 사람은, 이 춤 동작을 연습한 것 같았다. 저렇게 호흡이 척척 맞을 정도로 여러 번. 그리고, 오늘처럼 두 사람은 그날에도 웃고 또 웃었겠지.

나도 모르게 바오로 옆으로 바짝 다가서면서 물었다.

"쉘 위 댄스?"

이번에도 바오로는 나를 무안하게 만들었다. 그는 한 손으로 입을 가리면서 내게서 한 발짝 물러섰다. 하긴 나도 몸치라서 바오로가 응했다 한들, 제대로 된 춤을 출 수는 없었으리라. 그냥 저 정체불명 춤을 본 순간, 어떤 춤을 춰도 괜찮을 것만 같았다.

갑자기 베르틸라 수녀님의 얼굴에서 미소가 사라지더니, 흠흠 하고 헛기침을 여러 번 했다. 무슨 일인가 살펴보던 나도 소스라치게 놀랐다. 마티아 신부님이 성당 문 안쪽에서 허리에 손을 올린 채 화가 잔뜩 난 표정을 짓고 있었다.

맙소사! 그런 줄도 모르고, 두 남녀는 즐거움에서 헤어나지 못하고 아직도 몸을 흔들었다. 베르틸라 수녀님의 헛기침도 무용지물이었다. 한참 만에 이상한 분위기를 눈치채고 두 남녀는 동작을 멈췄다.

날카로운 파란 눈을 빛내면서 마티아 신부님이 S 옆으로 다가갔다.
"약속 시간에 늦었다는 사실을 잊었나요?"
흥겨웠던 춤의 여파로 숨을 쌕쌕 몰아쉬면서 S가 고개를 푹 숙였다. 베르틸라 수녀님이 두 사람을 성당 문 안쪽으로 밀면서 조금 큰 목소리로 말했다.
"신부님, 어두워지기 전에 강의를 끝내셔야죠. 바람이 차가워졌네요. 어서 들어가세요."
신부님은 S의 행색이 엉망인 걸 이제야 알아봤고, 허리춤에 올렸던 손으로 S의 어깨를 감싸 안았다.

네 사람이 성당 안으로 사라지자, 바오로가 새삼스럽게 나를 위아래로 훑어보았다.

"가방은 어디다 떨어뜨렸어요? 성당에서 준 가방."

"어머나!"

나는 두 팔을 벌리고, 말을 잇지 못했다. 어쩐지 빈손으로 다니면서, 뭔가를 빠뜨렸다는 생각이 들긴 했었다. 그러고 보니, 내가 들린 곳은 딱 한 군데밖에 없었다.

나는 눈을 크게 뜨고 바오로를 쳐다보았다. 그는 또 내 말뜻을 단번에 알아챘다.

"뭘 좀 먹어야지요. 다시 배고파졌지요? 나도 그래요. 갈비탕도 먹고, 잃어버린 가방도 찾고."

우리는 '천주의 숯불갈비' 집으로 향했다. 나는 털레털레 걷다가 불현듯 새로운 사실을 깨닫고, 바오로에게 말했다.

"그러고 보니, 아직 통성명도 안 했네요!"

바오로가 머리를 긁적이면서 대답했다.

"저녁을 먹으면서, 서로 궁금한 점을 얘기하지요."

"나한테 궁금한 점이 있나 보죠?"

내가 장난스레 물었지만, 그는 처음 만났을 때처럼 어색하게 미소 지을 뿐이었다. 우리는 말없이 언덕을 내려갔다.

제6화 아내의 지병

***

벌써 닷새째 같은 꿈을 꾼다. 끔찍한 장면으로 넘어가기 전에 깨는 타이밍까지 아는 걸 보면 자각몽이다. 그런데 오늘은 꿈인지 생시인지 분간을 못 하겠다. 방안에 우리 부부 외에도 누가 들어와 있다. 침대 밑에서 소리가 난다. 아직 꿈속인 걸까.

두려움에 질릴 때 사람은 비슷한 양상을 띤다. 심장이 서늘해지고, 입안이 바짝 마르고, 피부에 소름이 돋는다. 머릿속의 생각이 멋대로 맴돈다. 나는 침대 밑에서 오도독 씹는 소리를 듣고 몸서리친다. 눈 뜰 자신이 없다. 다시 깊은 잠에 빠지고 싶다.

살살 실눈을 뜨자, 커튼 사이로 쏟아지는 햇살이 아내의 희끗희끗해진 머리카락을 비춘다. 여기는 경기도 부천의 P 아파트 7층이고, 나는 이제 꿈에서 벗어났다. 여기는 꿈속이 아니라 우리 집이다.

잠이 깨자 제일 먼저 침대 밑을 들여다본다. 어두컴컴한 침대 밑에서 두 개의 눈이 반짝인다. 홍시다. 어젯밤 내가 방문을 꽉 닫지 않았던지, 밤사이 녀석이 코로 문을 밀고 들어온 모양이다. 장난감도 물고 왔는지 씹는 소리도 들린다. 아내는 요즘 건강이 안 좋아 휴식이 필요하다. 홍시를 계속 방안에 뒀다가는 아내를 깨울 게 뻔하다. 나는 소리를 낮춰 녀석을 부른다.

"홍시, 이리 나오지 못해!"

녀석은 나를 빤히 쳐다볼 뿐 움직일 생각을 안 한다. 팔을 뻗으니 내 손이 닿지 않는 구석으로 깊숙이 들어간다. 내가 큰소리치지 않으리란 걸 눈치채고 버틸 심사다. 여유롭게 고개를 돌리고 장난감을 씹는다.

결혼 생활의 절반을 함께하면서 녀석을 움직이는 데 절대 실패하지 않았던 방법은 두 가지였다. 하나는 "산책하자!"라고 말하면서 목줄을 꺼내는 것이다. 또 한 가지 방법은 식탐이 많은 녀석에게 "밥 먹을래?"라고 말하면서 냉장고 문을 여는 것이다.

나는 두 번째 방법을 시도하려고 침대에서 내려와 부엌으로 걸어갔다. 냉장고 문을 열면서 고개를 돌리자, 삽시간에 녀석이 나타났다. 어찌나 급하게 쫓아왔는지 장난감도 침대 밑에 놓고 왔다. 통조림에서 고기를 조금 꺼내어 사료 위에 얹어주니까 사료통에 얼굴을 박고 열심히 먹는다.

홍시가 아침 식사를 하는 동안 나는 안방으로 들어가 녀석이 또 코로 밀고 들어오지 못하도록 문을 신경 써서 닫는다.

아내는 다행히 곯아떨어져 있다. 급성기관지염이 만성으로 전이되어 쉽게 호전되지 않는다. 내가 먼저 일어나면 출근을 위해 맞춰둔 알람을 꺼서 아내가 숙면하도록 도와준다. 기침이 심해 천식까지 도지는 게 아닌지 걱정했지만, 차츰 가래와 기침도 가라앉는 중이다.

안방 욕실로 가서 머리 위에 쏟아지는 샤워기 아래서 물을 맞는다. 새벽에 샤워하는 시간이 두뇌 회전이 잘 된다. 닷새째 반복해서 꾼 꿈에 대해 떠올린다. 실제로 나쁜 일이 벌어지진 않았지만, 결정적으로 뭔가 터질 것 같은 불길한 예감이 든다.

꿈속에서 내 좌석은 비행기의 통로 쪽이다. 테이블 위에 내 평생 마셔본 적도 없는 보드카 선라이즈가 놓여 있다. 창가 쪽에 누군가 햇빛을 잔뜩 받으며 앉았는데, 내가 쳐다보는 순간 햇살 가득했던 평화로운 꿈은 악몽으로 변한다. 미쳐버릴 것 같은 적색 어둠 속에서.

머리를 헹구고 수건으로 몸을 닦는다. 의자 위에 갈아입을 옷이 개켜져 있다. 욕실에 들어가기 전에 커피머신에 내려둔 커피 향기가 기분을 좋게 한다. 홍시는 부엌 바닥에서 못마땅한 눈으로 나를 쳐다본다.

"엄마가 잘 동안은 방에 들어오지 말랬잖아."

나는 녀석에게 머쓱하게 웃으며 말한다. 홍시는 자는 척 앞발에 머리를 내려놓지만 나를 주시하고 있다는 걸 안다.

***

뭘 먹을까 생각하면서 냉장고 문을 열자, 꿈속에서 본 보드카 선라이즈와 비슷하게 생긴 오렌지 주스가 눈에 띈다. 아침 식사로 토스트와 함께 먹던 주스인데 입맛이 떨어진다. 그 옆에 있는 토마토 주스를 먹을까 하다가 냉장고 문을 닫아버린다. 커피를 마시면서 견과류를 넣어둔 밀폐 용기 뚜껑을 연다. 아침 식사 대신 견과류를 몇 개 먹고 홍시에게 목줄을 묶어 회사까지 걸어가기로 한다.

관리소장이 나를 보더니 반갑게 인사한다. 홍시는 소장에게 꼬리를 흔들며 아양을 떨지만, 그의 손에는 아무것도 없다. 하긴 녀석은 요즘 들어 눈에 띄게 살집이 올랐다.

"302호 할머니하고 연락이 닿았어요. 미국 따님 집에 계시다네요."

소장이 말한다. 302호 노인은 벌써 두 달째 집을 비우고 있다.

"미국에 따님이 있었군요!"

"청소대행업체를 불러도 좋다는군요. 악취 얘기를 듣더니 놀라셨어요. 202동 주민이 모두 민원을 제기했으니, 냄새가 오죽했겠어요. 702호만 민원을 넣지 않으셨던데, 참을만하셨나요?"

관리소장은 어지간히 속상했던지 한숨을 내쉬며 묻는다.

"제가 축농증이 있어서 냄새를 잘 맡지 못해요."

"이번 같은 경우는 전화위복이네요. 사모님은 좀 어떠세요?"

"시간이 좀 걸리겠지만, 요즘 잠을 깊이 자서 차도를 보이는 듯하네요."

"아, 그러고 보니, 며칠 전에는 외출도 하셨어요. 비가 억수로 쏟아지는 날이어서, 감기가 도지면 어쩌려고 저러시나 걱정했지요."

"쯧쯧, 집사람 고집이 여간해야죠. 외출하고 싶으면 나가야지 직성이 풀리니까요."

"제가 본 날도 기침을 심하게 하셨어요. 저러다가 숨넘어가는 게 아닌가 했다니까요."

그는 자신의 실수를 만회하려고 손사래를 치면서 덧붙였다.

"아니, 진짜로 숨넘어간다는 게 아니라, 제 말씀은….'

"입원해야 할 정도로 심했어요. 병원 다녀와서 이제는 진정됐어요. 푹 쉬면 낫겠지요."

"그만하길 다행입니다. 302호에 썩은 음식이 있다고 했지만, 제 생각엔 집안에 죽은 동물이 있는 게 분명해요. 음식이 썩는다고 202동 전체에 진동할까요? 어림없어요. 새나 쥐 몇 마리가 죽어 있을걸요. 미국으로 떠나기 전에 쥐덫이나 쥐약을 놓고 시치미를 떼는지도 몰라요."

그는 홍시의 등을 쓰다듬으며 말한다.

"사장님 대신 너라도 냄새를 잘 맡아서 다행이구나. 순하기도 하지!"

냉장고에 10센티미터 메모지가 여러 장 붙어 있다. 나는 식탁에 앉아서 한 장 더 쓴다.

여보! 홍시 산책시켰어. 당신 좋아하는 원두커피 내려놨으니, 마시고 컨디션 좋으면 외출해도 괜찮아. 너무 멀리 가진 말고. 겨우 차도를 보이기 시작했으니까 가벼운 산책 정도면 충분해. 관리소장이 또 악취 얘기를 하네. 사람들이 다 민원을 제기했대. 청소업체에서 온다니까, 복도에서 무슨 소리가 들려도 놀라지 마. 나는 걸어서 출근할 거야. 정력제 이름을 지어야 하거든. 걸으면서 생각할 거야. 사랑해.

메모지를 다른 메모지 옆에 붙인다. 홍시의 물그릇에 정수기 물을 가득 채워주고 집에서 나선다. 회사로 가면서 최근에 출시될 정력제 이름보다는 다른 생각이 떠오른다. 세 시에 온다는 용역업체에 대해서다. 조금 더 일찍 도착하면 어쩌나 하는 생각이 든다.

***

가위에 눌려 깊이 잠들지 못하는 날들이 연속되면서 회의 시간에 졸 뻔했다. 하지만, 신 팀장이 경쟁 제약회사에서 새로 개발한 정력제 광고를 비꼬기 위해 만든 포스터를 꺼내든 순간 잠이 확 달아났다. 꿈에서 본 술의 출처를 이제

123

야 알았다. 그가 회사 컴퓨터로 도안을 그리는 걸 본 연상 작용이었다.

나는 비행기 테이블에 놓였던 오렌지 주스처럼 생긴 술을 떠올리다가, 사장이 부르는 소리에 정신을 차렸다. 그의 질문을 놓치지 않아서 다행이다. 사장은 자기가 한 말을 되묻는 걸 제일 싫어한다.

"저는 신 팀장과 같은 생각입니다. 고객이 설문조사로 정한 이름인데 그걸로 진행하는 게 맞지요."

내 말이 끝나자, 몇 명이 피식 웃는다. 민주 제약의 신제품을 두고 농담들이 오갔다. 나는 사장 쪽을 보지 않았지만, 그는 내가 무슨 말을 할지 벌써 알고 있었다.

"아직 완성하지 못했습니다. 신입 사원에게 기회를 주려고요. 열심히 하고 있으니까, 다음 회의에서는 보여드릴 수 있을 겁니다."

수습 직원인 심 군이 내게 배정되었다. 아직은 회의에 참석할 깜냥이 못 되지만, 나는 그가 뭔가 보여주리라 믿는다. 직원들이 다 그를 좋아한다. 몇 년 안으로 큰 제목이 될 싹수가 보인다.

사장은 곤란한 표정을 지으며 이맛살을 찌푸린다.

"오늘쯤이면 완성하고도 남았을 시간인데? 대략적인 내용이라도 브리핑해 보게."

나는 입을 열 수가 없다. 회의실에 긴 침묵이 흐른다. 다들 딴전을 피우는 척하고 내게서 시선을 돌린다. 사장이 내게 공개적인 망신을 준 셈이다. 나는 이런 대접을 받아도 싸다. 수면 부족으로 흐리멍덩한 눈을 뜨고 막내 직원에게 일의 핑계를 돌리다니, 내가 생각해도 한심하다.

"알겠네. 오늘 회의는 이쯤에서 끝내도록 하지."

사장이 말하자 회의실에서는 평화의 분위기가 감돈다. 산들바람이 휙 스쳐 간 느낌이다. 금요일 아침부터 험한 꼴을 보고 싶은 사람은 없다. 나 역시 질책을 당하고 싶지 않다.

"부인은 좀 어떤가. 심각했다고 들었는데."

"좋아졌습니다. 퇴원 후 기침도 덜하고 잠도 잘 잡니다. 염려해 주셔서 감사합니다."

사장의 부드러워진 표정에서 나는 안도의 한숨을 쉰다. 문득 사장도 죽은 쥐 냄새를 맡았을까 궁금해진다.

***

20분 뒤에 심 군이 내 사무실로 들어왔을 때 나는 졸고 있다. 대놓고 머리를 흔들면서. 문이 열리는 소리가 나자, 마치 깊은 생각에 잠겼던 사람처럼 보이려고 얼른 상체를 일으킨다. 그는 신바람이 난 상태라 미처 알아차리지 못한 것 같다. 손에 포스터 보드를 들고 있다.

"회의 다녀오셨어요?"

"응, 좀 전에 끝났어."

"우리 프로젝트 얘기도 하셨어요?"

"당연하지. 어디 보자."

심 군은 긴장한 듯 숨을 들이마시더니 포스터 보드를 내쪽으로 돌린다. 포스터 왼쪽에 비아그라 병이 있다. 실제 크기인 것 같기도 하고 더 작은 것 같기도 하다. 중요한 문제는 아니다. 오른쪽에 있는 민주 제약 병이 훨씬 크니까. 밑에 이런 문구가 적혔다. '비아그라보다 10배 강력한 효과!'

심 군은 포스터를 쳐다보는 내 얼굴을 살피더니, 미소를 짓는다.

"마음에 드세요?"

"내 맘에 드는 게 중요한 게 아니고, 이 바닥에서는 빵 터지느냐 마느냐가 관건이야."

그는 이내 시무룩해졌지만, 내게는 똑바로 가르칠 의무가 있다. 현재 나로서는 사정이 복잡해도 수습사원의 미래가 달린 일이니만큼 제대로 가르칠 작정이다. 나는 광고 일을 사랑한다. 대접을 받지는 못해도 이 일에 사명감을 느낀다.

당신은 포기라는 걸 몰라요. 아내는 내게 말했다. 나는 한번 물었다 하면 셰퍼드처럼 끝장을 내야 직성이 풀린다. 나의 투지는 섬뜩하리만치 상대를 놓지 않는다.

"이리 와서 앉아."

그는 내 옆의 의자에 와서 앉는다.

"그 입 좀 집어넣고. 꼭 변기에 동전을 빠뜨린 어린애 같구먼."

그는 입술을 재빨리 오므린다. 나는 이런 점에서 그를 좋아한다. 항상 최선을 다한다. 제일기획에서 살아남으려면 그래야 한다. 물론 실력도 중요하지만.

"자네를 나무라는 게 아니야. 굳이 잘잘못을 따지자면, 멀티비타민 같은 약을 떠맡긴 민주 제약 탓이지. 하지만, 비록 고객이 별 볼 일 없는 물건을 맡겨와도 프로는 그럴싸한

결과물로 응해야 할 책임이 있어. 광고회사는 그러라고 있는 거니까. 열 건 중에서 일곱 건, 아니 여덟 건쯤이 민주제약과 다를 게 없다고 보면 될 걸세. 정신 바짝 차리게."

심 군은 살짝 웃는다.

"메모할까요?"

"깐죽거리지 말고 머리로 외우게. 첫째, 약 광고를 하면서 절대 약병을 보여주지 말 것. 로고는 괜찮아. 약 자체도 상관없고. 예외인 경우도 있지만. 화이자에서 왜 비아그라를 보여줬는지 아나? 파란색 때문이야. 소비자가 파란색에 호감을 보이는 심리를 이용한 거지. 생김새도 도움을 줬지. 소비자가 비아그라처럼 생긴 알약에 긍정적인 반응을 보였어. 하지만, 약이 담긴 병을 보고 싶은 사람은 없어. 약병을 보면 곧 질병이 떠오르거든."

"약병을 비아그라 알약으로 대체하면 되겠군요! 작은 비아그라 알약과 커다란 비아그라 알약으로요."

심 군은 손을 들어 크기를 만들어 보인다.

"10배 크고 10배 더 강력합니다! 괜찮죠?"

"심 군, 그런 광고문을 썼다간 식약청에서 당장 광고를 중단하란 조치를 때릴걸. 회사에선 엄청난 비용을 물어야겠지. 고객도 다 떨어져 나갈 테고."

"왜요?"

의욕으로 부풀었던 얼굴이 시무룩해지면서 푸념이 담긴 말투다.

"저 멀티비타민은 비아그라보다 열 배 크지도 않고, 열 배 강력하지도 않으니까. 정력제의 효과는 다 거기서 거기라고 보면 돼. 인터넷에 들어가 봐. 이참에 아예 광고가 뭔지도 새롭게 배우게. 허풍쟁이와 수다쟁이 중에서 누가 더 낫겠나? 입맛은 주관적이니까, 맛은 의견이 갈릴 수도 있어. 하지만, 발기가 얼마나 오랫동안, 얼마나 단단하게 지속되느냐의 문제라면 얘기가 달라지지."

"무슨 말씀인지 알겠어요."

심 군이 기가 죽어 목소리가 기어든다.

"또 한 가지! '10배 강하다'는 건 발기부전의 측면에서 상당히 설득력이 떨어져. 유행에 뒤처지는 표현이기도 하고. 예전에, 자네가 태어나기도 전의 일이지만, 당시에는 광고장이들이 연속극 중간에 말이야. 한 집에 마누라 둘이 나란히 있는 장면을 투 샷으로 찍기도 했어."

"에이, 설마요!"

"내가 아이디어를 하나 주지."

나는 메모지와 몽블랑 만년필을 꺼냈다. 이 순간 냉장고에 덕지덕지 붙은 색색의 메모지가 눈앞에 떠올랐다.

그게 왜 아직도 냉장고에 붙어 있을까?

"팀장님, 그냥 말씀으로 해 주셔도 괜찮아요."

이 군의 목소리가 빌딩 너머의 어디쯤에서 울리는 것처럼 아득하다.

"광고는 음성 매체가 아니야. 소리로 나온 광고는 믿으면 안 되네. 글로 써서 보여줘야 해. 자네의 절친이나 부모님이나, 그리고, 또. 자네의, 자네의. 아내한테."

"팀장님, 괜찮으세요?"

"왜 그딴 걸 물어?"

"조금 이상해 보이셔서요."

"다음 회의 시간까지만 정상으로 돌아오면 돼. 심 군, 이걸 보게. 자네 눈에 뭐가 보이나?"

나는 메모지를 그의 눈앞에 내밀어 '단단하게 밀어붙이고 싶은 남자를 위하여'라고 쓴 문구를 보여준다.

"음담패설처럼 들리는데요?"

그가 반항적인 표정을 지었지만, 나는 오른쪽 엄지와 장지 손가락을 튕겨 명쾌한 소리를 낸다.

"바로 그걸 노렸다고. 하지만, 내가 고딕체로 써서 그런 거야. 이렇게 부드러운 곡선을 넣어 썼다고 가정해 보세. 아니면 괄호 안에 작은 글씨로 들어간 경우를 상상해 봐. 은밀한 대화를 속삭이듯이."

나는 문장의 앞과 뒤에 괄호를 씌운다.

"어깨 근육과 팔 근육, 허벅지가 울퉁불퉁한 스포츠맨을 상상해 봐. 속옷이 드러나도록 청바지를 살짝만 내리고, 상의는 민소매를 입었다고. 총에는 흙을 좀 묻히고."

"총이라니요!"

"이두박근 말일세. 그 옆에는 최고급 스포츠카가 있어. 자, 이래도 음담패설일까?"

"저는 잘 모르겠는데요."

"나도 분명하게 확신할 수는 없어. 느낌상으로 첫 삽은 제대로 떴다고 봐. 하지만 조금은 부족해. 문구가 약하달까. 텔레비전과 인터넷 광고에 등장하자마자 빵 터지도록 문구를 다듬도록 해. 빵 터지는 게 중요하니까, 키워드를 명심하게나."

며칠째 숙면을 방해하던 악몽의 출처가 문득 떠오른다.

"팀장님?"

"명심하게. 키워드는 단단하다는 거. 남자는 모름지기 거시기가 약하면 상처를 받게 된다네. 그렇더라도 쉽게 포기할 수만은 없지."

"저는 그 심정을 알 길이 없겠는데요?"

심 군은 실실 쪼개며 중얼거린다. 나도 미소를 지으려 했지만, 입꼬리에 쇳덩이라도 달렸는지 올라가질 않는다. 다시 꿈속으로 들어가는 기분이 든다. 내 옆 창가에 보고 싶지 않은 끔찍한 그것이 다가왔기 때문이다. 하지만 이건 자각몽이 아니라 현실이다.

***

심 군이 메모지와 포스트 보드를 들고 사무실을 나가자, 나는 서슴지 않고 화장실로 향한다. 10시, 직원들이 휴게실에서 커피를 마시는 시간대라 텅 빈 화장실은 나의 차지다. 만약의 경우 누군가 들어와 다리 밑을 볼지도 몰라 바지를 내리지만, 혼자서 진득하게 생각할 장소를 찾아 들어온 것이다. 나는 변기에 앉아 생각에 잠긴다.

제일기획에 입사한 지 4년째에 진통제 광고를 맡았다. 내가 빵 터뜨린 광고의 시초였다. 번갯불에 콩 볶아 먹듯이 섬광처럼 다가온 아이디어였다. 샘플이 든 약병을 꺼내는 순간 골자라고 할만한 콘셉트가 스쳐 갔다. 너무 쉽게 만들었다는 비난을 면하기 위해서 콘티를 짰다. 아내가 옆에서 도왔다. 그때가 아내의 불임 진단을 받은 직후였다. 어렸을 때 감기약을 잘못 먹은 탓이라는 의사의 소견에 아내는 미약한 우울증을 앓았다. 아내는 진통제 광고를 짜는 동안 부지런한 꿀벌은 슬퍼할 틈이 없다면서 의욕적으로 매달렸다.

나는 콘티를 들고 실무자를 찾아갔다. 우리 부부가 만든 콘티를 그가 훑어보는 동안 손에 땀이 배고 심장이 터질 듯이 뛰었다. 그는 한참 만에 콘티를 내려놓고 말없이 나를 쳐다봤다. 고작 이 삼 초였을 텐데, 내게는 한 시간쯤 흐른 듯이 길게 느껴졌다. 그가 입을 열었다.

"기대 이상일세. 아주 좋군. 내일 고객과 미팅을 예약할 테니, 자네가 프레젠테이션을 맡도록 해."

다음 날 내가 프레젠테이션을 했고, 채움제약의 부사장은 소매를 걷어 올린 끝에다 팜스맘을 꽂은 젊은 여성의 이미지에 만족했다. 광고 덕분에 팜스맘은 단숨에 아스피린과 타이레놀의 판매량을 넘어섰고, 그 해부터 채움제약의 모든 광고는 우리 회사가 담당했다.

나는 보너스를 탔고, 아내와 하와이로 열흘간의 휴가를 다녀왔다. 비가 퍼붓는 아침 공항에서 출발한 비행기가 구름을 뚫고 올라가 기내가 햇빛으로 환해지자, 아내가 어린 애처럼 창밖을 보며 좋아했다. 나는 아내를 사랑했고, 우리는 손을 잡았다. 행복한 순간이었다.

하지만, 불과 30분 후에 내가 창가를 바라봤을 때 아내는 입을 벌리고 눈을 치켜뜬 비참한 몰골로 창문에 머리를 박고 있었다. 나는 아내가 죽은 줄로 알았다. 젊은 나이였지만, 아내의 경우 돌연사의 가능성이 있었다.

의사는 말했었다.

"부인의 증상은 불임입니다. 하지만, 부인의 경우에는 불임이 축복일 수 있어요. 어렸을 적에 병을 제대로 치료받지 못해 심장이 약해졌는데, 임신은 심장에 무리를 줄 수 있어요. 임신하더라도 누워서 지내야 하고, 임신하지 않더라도 심장을 장담할 수도 없는 처지예요."

아내가 숨을 쉬지 않는 것처럼 보였다. 나는 멍하니 아내를 바라보았다. 잠시 후 아내는 내 쪽으로 고개를 돌리며 후유, 하고 긴 숨을 내쉬었다.

"왜 계속 나를 보고 있었어?"

"예뻐서."

"이런, 내가 침을 흘렸잖아!"

그녀는 웃으며 뺨을 닦았다. 나도 웃음을 터뜨렸다.

"당신이 죽은 줄 알았어."

"무슨 소리야?"

아내가 크게 입을 벌리고 웃었다.

"나만 한국으로 보내고, 당신 혼자 와이키키 해변에서 놀고 싶었지?"

"아니, 무슨 수를 써서라도 당신을 데려갔겠지."

"시체를 어디에 쓰려고?"

"난 당신 죽음을 절대로 인정하지 않을 테니까."

"며칠이 지나면 인정하고 싶지 않아도 인정할 수밖에 없어. 시체는 냄새가 난다고. 참을 수 없을 만큼 고약한 냄새가 날걸."

아내는 줄곧 웃었다. 불임을 판정한 의사의 말을 제대로 이해하지 못한 아내는 심각하게 받아들이지 않았다. 비행기가 순항고도까지 올라가는 동안 뺨이 겨울눈처럼 창백해지고 마스카라가 번진 눈과 벌어진 입이 어떻게 보이는지 알지 못했다. 나는 보았고, 그 이후 내 심장에 새겨졌다. 그녀는 나의 심장이었다. 나에게서 심장을 떼어낼 수 없듯이 죽음조차 내게서 아내를 빼앗을 수는 없다.

"냄새가 날 턱이 있겠어? 내가 살려낼 텐데."

"무슨 수로. 마법의 지팡이라도 있어?"

"포기하지만 않으면 돼. 그리고 광고장이의 자산을 총동원하면 돼."

"광고장이의 자산? 그게 뭔데?"

아내는 정말 궁금해하는 표정으로 물었다. 나는 한 치의 망설임도 없이 대답했다.

"음, 그건 상상력이지. 광고장이의 상상력은 대단하거든."

**

3시 30분에 전화벨이 울린다. 청소대행업체 직원이 몇 시에 퇴근하느냐고 묻는다. 302호실에서 냄새의 원인을 찾지 못해 수색한 끝에 우리 집에서 쥐 썩은 냄새를 찾아냈다는 거였다.

"저희가 다른 예약이 있어 4시에는 출발해야 합니다. 다른 날로 예약하자면 그 비용을 댁에서 부담하셔야 하니까, 빨리 오셔서 문을 열어주세요. 사모님이 집에 계신다고 들었는데, 전화를 안 받으시네요."

"집사람은 약 기운 때문에 깊이 잠들었어요. 원래도 잠들면 업어가도 모르는 사람이니까요. 화재경보기가 울리지 않는 한 듣지 못할 겁니다. 자는 동안 전화기는 무음으로 해

놓더군요."

"언제 퇴근하시나요?"

'꿈 깨시지. 나는 집으로 돌아가지 않아.'

나는 전화기를 붙들고 상상에 빠져든다. 우리 부부는 처음부터 그 집에 있지 않았노라고. 아내와 나는 보너스 여행에서 하와이가 마음에 들어 호놀룰루로 아예 집을 옮겼다. 나는 조그만 광고회사에 취직했고, 특산물 폭탄 세일 광고를 진행한다. 이 모든 일은 언제든 깨어날 수 있는 자각몽이다.

"여보세요, 여보세요."

"곧 회의에 들어가야 해서요. 살충제를 놔두고 가시면 제가 뿌리겠습니다."

용역업체 직원은 관리소장에게 전화기를 넘긴다.

"702호 사장님이시죠? 일이 번거롭게 됐어요. 202동 주민들이 떼로 몰려와서는, 댁에서 악취가 난다고, 당장 마스터키로 문을 열라고 아우성쳤어요. 문을 안 열면 경찰에 신고한다고 난리들이네요."

"6시에 702호로 오시면 문을 열어드리지요. 가능하면 15분 전까지 도착할게요."

나는 전화를 끊고 엘리베이터로 향한다. 휴게실을 지나는데, 심 군이 따라온다. 그는 손목시계를 보면서 묻는다.

"벌써 퇴근하세요?"

"집사람한테 전화가 왔어. 몸이 안 좋다는군."

"가방은요? 빈손으로 퇴근하시는 모습은 첨 봐요."

당분간은 서류 가방을 열 필요가 없을 것이다. 앞으로 영영 없을지도 모르고.

"광고 수정했는데, 지금 보여드릴까요?"

"내가 좀 급해서. 다음에 얘기하지."

"아, 제가 눈치도 없이. 사모님 쾌유를 빕니다."

엘리베이터 문이 열리자, 심 군은 머리를 숙이며 공손히 인사한다. 그는 성공할 타입이다. 진심으로 잘된 일이다.

***

제일기획에서는 해마다 인턴을 뽑는다. 심 군처럼 대부분 재능이 엿보였고, 그 이전에 있던 박 군도 뛰어난 재원이었다. 하지만 박 군이 회사 비품을 훔치자, 도벽을 가진 사원을 해고하는 임무를 상사인 내가 맡았다. 그는 해고가 부당하다면서 길길이 날뛰었다. 경비가 끌어낼 때까지 고함을 멈추지 않았던 그는, 할 말이 남았던지 우리 아파트 근처를 배회했다. 경찰에서는 그가 특별한 위협을 가하지 않아 법적으로 죄가 없다고 했다. 하는 수 없이 나는 회사 경비실에서 열쇠를 얻어서 비상구로 다녔다. 시간이 흐른 후에 박 군은 아파트에서 사라졌지만, 경비실 직원이 바뀌면서 열쇠를 돌려줘야 한다는 사실을 깜빡했다.

나는 택시를 타고 다음 역에서 내려 걷는다. 주머니에서 열쇠를 꺼내 구멍에 넣었을 때 꼼짝도 하지 않아 심장이 철렁했지만, 위아래로 살살 흔들자 돌아간다. 직원용 엘리베이터는 이삿짐센터에서 제공하는 스티로폼이 덧대져 있다. 내가 가게 될 감옥을 미리 체험하는 기분이다. 죄수용 독방에 들어가면 이럴까. 너무 극단적인 생각이다. 회사에 사유서를 제출해야 할 테고 감봉에 처할지도 모르지만, 임대차계약을 위반한 것뿐이다.

지난 일주일 동안 내가 무슨 짓을 저질렀을까?

엘리베이터가 7층에서 멈추자, 자문자답한다.

'집사람을 살렸지. 아내가 죽었다는 사실을 절대 인정하지 않았지.'

죽지 않았다고, 만성기관지염에 걸렸을 뿐이라고 스스로 최면을 걸었다. 광고문구로는 쓸 수 없지만, 지난 일주일 동안 효과 만점이었고 이 정도면 광고업계에서는 백 점을 매길만한 성과다.

현관 안으로 들어간다. 포근하고 따스하고 아무런 냄새도 나지 않는다. 광고 업계에서 장수하려면 상상력이 필수 요건이다.

"여보, 나 왔어. 몸은 좀 어때?"

구두를 벗으면서 큰 소리로 묻는다.

아침에 출근하면서 또 문 닫는 걸 깜빡했는지 홍시가 방에서 어슬렁어슬렁 나온다. 입속에 뭔가를 쩝쩝거린다. 녀석은 죄지은 표정으로 나를 곁눈질하면서 꼬리를 감추고 도망친다.

"여보!"

방 안에는 솜털 같은 아내의 머리카락과 이불로 가려진

형체 외에는 아무것도 없다. 이불 아래가 쭈글쭈글 구겨진 걸 보니, 잠시 일어나서 커피를 마시고 누운 모양이다. 지난 주 금요일 퇴근했을 때 아내는 숨을 쉬지 않았다. 그날 이후로 잠을 아주 많이 잔다.

침대맡으로 다가서니, 아내의 손이 삐죽 나왔다. 뼈하고 살점 몇 조각 말고는 남은 게 없다. 나는 그 손을 보며 홍시를 안락사시켜야겠다고 결심한다.

녀석은 나보다도 아내를 더 좋아했다. 어쩌면 오래 누워 있는 아내를 염려해서 흔들었는지도 모른다. 일어나요, 엄마. 나랑 같이 놀아요.

작아진 손을 이불에 도로 넣는다. 파리 떼가 또 몰려들어, 손을 휘저어 쫓는다. 전에는 이 아파트에서 파리를 본 적이 없었는데, 쥐 냄새가 난다고 할 무렵부터 파리가 기승을 부린다.

"여보, 심 군 알지? 내가 오늘 그 친구한테 광고 만드는 방법을 전수했어. 잘 다듬어서 해낸 모양이야."

아내는 묵묵부답이다.

"당신은 절대 죽으면 안 돼. 내가 받아들이지 않을 거야."

아내는 대답이 없다.

"커피 마셨지? 한 잔 더 마실래?"

나는 손목시계를 본다.

"뭐 좀 먹자. 컵에 넣어서 파는 수프 있는데, 레인지에 데워줄까?"

아내는 대답하지 않는다.

"힘들면 말하지 않아도 돼. 하와이 갔을 때 생각나? 해변에서 당신이 울었잖아. 왜 우냐고 물었더니, 당신이 뭐라고 했냐면…, '너무 행복해서.'라고 말했었어."

지금은 내가 울고 있다.
"일어나서 좀 걸을까? 환기 좀 시킬게."
아내는 대답이 없다.
나는 한숨을 쉬면서 솜털 같은 머리카락을 쓰다듬는다.
"좀 더 자도 돼. 내가 옆에 있을게."
그리고 나는 아내 옆에 눕는다.

작가의 말

2004년 시로 등단하고 스무 해를 시인으로 살아왔다. 하지만, 내 문학의 뿌리는 소설에 있었다. 삼십 대에 '여자의 계절'이라는 단편소설집을 출간한 적이 있었다. 출판사가 폐업해서인지 검색해 봐도 그 책은 보이지 않고, 종이책도 잦은 이사로 분실했다.

이 책은 컴퓨터에 습작한 여러 개의 글 중에서 문예지에 발표한 작품만 골라서 엮은 단편집이다. 단 한 분이라도 공감하고 재미있게 읽어주신다면 영광이겠다.

먼저 가신 작가 선배들이 남기신 꿈과 이 땅에 태어날 후배 작가들을 잇는 유전자의 역할을 하는 게 오늘을 사는 나의 사명이므로, 비록 부족한 필력으로나마 시인과 소설가의 업을 평생 다하며 살 것을 독자께 약속드린다.

2024년 6월의 부천에서 안선희